Ägyptische Mythen

George Hart

# Ägyptische Mythen

## Eine Einführung

Aus dem Englischen übersetzt
von Xenia Engel

Mit 26 Abbildungen
und 1 Karte

Reclam

Titel der englischen Originalausgabe:
Egyptian Myths. London: British Museum Press, 1990. (The Legendary Past.)

FSC
www.fsc.org
MIX
Papier aus verantwortungsvollen Quellen
FSC® C125418

RECLAM TASCHENBUCH Nr. 20376

Umschlaggestaltung: Anja Grimm Gestaltung, Hamburg
Umschlagabbildung: Die Göttin Isis. Wandmalerei aus dem Grab Thutmosis' IV., 14. Jh. v. Chr. (© akg-images / De Agostini Picture Lib. / S. Vannini)
Gesamtherstellung: Reclam, Ditzingen. Printed in Germany 2016
RECLAM ist eine eingetragene Marke der
Philipp Reclam jun. GmbH & Co. KG, Stuttgart
ISBN 978-3-15-020376-7

www.reclam.de

# Inhalt

MITTELMEER
Alexandria
Tanis
Gise
Heliopolis
Sakkara
Memphis
Dahschur
Faijum
Medum
SINAI
Türkisbergwerke
Aschmunen
(Hermopolis Magna)
El-Amarna
Nil
ÄGYPTEN
Abydos
Dendera
ROTES MEER
West-Theben
(Deir el-Bahri,
Tal der Könige)
Ost-Theben
(Karnak, Luxor)
Esna
Edfu
Assuan
(Elephantine)
Seeweg nach Punt
Insel Philae
0
100
200
300 km
nach Nubien

# Einleitung

Die ägyptische Mythologie, deren vielgestaltiger Vorstellungswelt wir allenthalben in Schrift und Bild begegnen, bildet ein reiches und verwirrendes Panorama. Um dem Laien den Einstieg in diese fremde Welt etwas zu erleichtern und gewisse Aspekte zu verdeutlichen, bot sich mir für dieses Buch eine systematische Unterteilung in zwei große Bereiche an. Als weniger komplex und deshalb einfacher abzuhandeln hat sich der Teil des Materials erwiesen, der eine Flucht in exotische Gefilde, unterhaltsame Taten von Magiern und die Apotheose historischer Helden zum Thema hat.

Die zweite Kategorie bilden Mythen, die ich hier als »Mythen des höheren Bewußtseins« bezeichnen möchte. Diese Erzählungen waren wesentlicher und gestaltender Bestandteil der altägyptischen Gesellschaft und ihres Herrschaftssystems; keineswegs nur fossile ›Memoiren‹ einer Reihe von Göttern und Göttinnen. Jene Mythen, die vom Ursprung des Kosmos sprechen, das Dogma der rechtmäßigen Thronfolge und die Wiedergeburt und zyklische Erneuerung der Sonne durch ihre allnächtliche Unterweltfahrt behandeln, erweisen sich als Projektionen des Denkens, der Hoffnungen und Ängste, mit denen die alten Ägypter den Fragen der menschlichen Existenz begegneten. In ihnen spiegeln sich zumal die alltäglichen Kümmernisse und Sorgen wider, die im Laufe eines Menschenlebens zu bewältigen waren.

Die Erforschung von Naturphänomenen und die Auseinandersetzung mit dem ›Wunderbaren‹ waren im alten Ägypten von äußerster Wichtigkeit, auch wenn Erklärungen nicht immer schlüssig oder Ergebnisse mitunter widersprüchlich und unverständlich ausfielen. In den metaphysischen Schöpfungsmythen und magischen Bannformeln gegen die Kräfte des Chaos – vergegenständlicht in der Bedrohung durch Apophis, die Unterweltschlange – artikuliert sich die Suche nach dem Wissen von den letzten Dingen. – Selbst noch im sogenannten Dilemma der Moderne klingt etwas davon zu uns herauf:

Wir werden nicht aufhören zu forschen,
Und das Ende all unseres Forschens
Wird sein, dort anzukommen, von wo wir aufbrachen,
und den Ort zum ersten Mal zu erkennen.

(Aus: T. S. Eliot, *Little Gidding*)

Die Spuren altägyptischer Mythen lassen sich aber nicht nur in der Moderne aufspüren. In den vergangenen zweieinhalbtausend Jahren haben Besucher des Niltals immer wieder bezeugt, wie sie das große und vielgestaltige Götterpantheon der alten Ägypter beeindruckte, mit dem sie in Grabstätten, Tempeln und durch Papyri in Berührung kamen. So zeichnete Herodot, der griechische Historiker und Ethnograph des 5. Jahrhunderts v. Chr., einiges an Beobachtungen über die ägyptische Religion auf, wobei er sich aus Respekt Zurückhaltung auferlegte:
»In Memphis hatte ich eine Unterredung mit den Priestern des Hephaistos [Ptah]. Dann begab ich mich [...] nach Theben und Heliopolis, denn die Bewohner von Heliopolis gelten als die weisesten Ägyptens, um zu prüfen, ob man mir die Kenntnisse, die ich in Memphis gewonnen hatte, bestätigen würde. Was ihre Darstellung des ›Göttlichen‹ angeht, so liegt es nicht in meiner Absicht, dieses Wissen preiszugeben, ausgenommen vielleicht die Namen gewisser Rituale, weil ich annehme, daß sie ohnehin schon allgemein geläufig sind« (*Historien* 2,3).
Ähnlich verhält sich der unterhaltsame Erzähler Apuleius im 2. Jahrhundert n. Chr., dessen Held Lucius, in einen Esel verwandelt, viele erniedrigende Abenteuer zu bestehen hat, schließlich aber von Isis selbst in ihre Mysterien eingeweiht wird. Der frem-

*Halsschmuck der Prinzessin Sithathoriunet; in Gold und Halbedelsteinen gearbeitete Darstellung der von zwei Falken flankierten Kartusche Sesostris' II. (1897–78 v. Chr.). Der Königsname der Prinzessin, Chachepre, enthält das Bild der Strahlen der im Osten aufgehenden Sonne und des Skarabäus*

denfeindliche römische Satiriker Juvenal steht zu dieser respektvollen Haltung in schroffem Gegensatz, wenn er den Glauben der Ägypter offen verspottet und den Isiskult lächerlich macht. Selbst gewöhnliche Touristen haben in der Spätantike ihre Kommentare zu der komplexen altägyptischen Mythologie hinterlassen. Schon damals waren – unverzeihlicherweise – Besucherinschriften auf den Denkmälern selbst ein Medium der Meinungsäußerung; so kann man an einer Wand der Grabstätte von Ramses VI. im Tal der Könige die eingekratzten Worte lesen: »Ich, Dioskorammon, habe mir diesen Unfug angesehen und finde das alles absonderlich!«

Ungeachtet ihrer Fremdartigkeit für Außenstehende haben die ägyptischen Mythen überdauert, weil sie in der Gesellschaft, aus der sie hervorgingen, eine entscheidende Rolle bei der Ausbildung und Überlieferung einer bestimmten Weltsicht spielten. Gelehrte, Priester und Geschichtenerzähler gaben die Mythen weiter, um Naturphänomene zu erklären, Anweisungen für ein Weiterleben nach dem Tod zu verbreiten und ihre eigene erzählerische Vielseitigkeit vorzuführen. Was immer uns die ägyptischen Mythen bedeuten mögen – seien sie Teil einer religiösen Suche, einer anthropologischen Fragestellung oder einer abenteuerlichen Exkursion in das Reich des Surrealen –, die faszinierende Bildlichkeit und Vorstellungskraft der Geschichten und Legenden werden stets eine Bereicherung darstellen.

# Schöpfungsmythen

Die Frage nach der Erschaffung der Welt, ihrem Schöpfer und dem Schöpfungsakt, hörte nie auf, das ägyptische Bewußtsein zu beschäftigen. Drei Kosmogonien sind dabei entwickelt worden, die sich aus den Traditionen der drei uralten Städte Heliopolis, Hermopolis und Memphis speisten.

## Die wichtigsten Quellen

Zunächst müssen wir uns mit den Zeugnissen vertraut machen, die für unser Verständnis des Kosmos und der Weltsicht der alten Ägypter entscheidend sind. Da sind zuerst die Spalten von Hieroglyphen zu nennen, die die Wände der Vorhalle und der Grabkammer in der Pyramide des Königs Unas (etwa 2350 v. Chr.) bedecken; sie befindet sich in Sakkara, der Nekropole der Reichshauptstadt Memphis. Diese Inschriften sollten dem König im Jenseits einen Platz in der Nähe des Sonnengottes sichern. Die nachfolgenden Herrscher des Alten Reichs (etwa 2649–2152 v. Chr.) setzten diese Tradition fort. Das so entstandene Textkorpus, bekannt als *Pyramidentexte*, enthält magische und rituelle Sprüche und Bannformeln, die uns erlauben, die komplexe Vorstellungswelt des ägyptischen Pantheons zu erschließen. Dieses Korpus stellt die früheste religiöse Textsammlung überhaupt dar.
In der nächsten bedeutenden Periode der ägyptischen Zivilisation, dem Mittleren Reich (2040–1783 n. Chr.), sehen wir das Vorrecht der Könige, sich ihren Status im Jenseits durch magische Inschrif-

ten zu sichern, auch von Provinzgouverneuren und höfischen Würdenträgern in Anspruch genommen. Der Sarg wurde zu einem überirdischen Gehäuse, das man mit Bestattungsformeln, die an Osiris und Anubis gerichtet waren, Amuletten, die das ›Auge des Horus‹ darstellen, mit Abbildungen von Luxusgütern und Lebensmitteln, topographischen Karten der Unterwelt und Hunderten von Bannsprüchen bemalte. Diese Sprüche wurden später von Ägyptologen als die sogenannten *Sargtexte* herausgegeben. Die Ausstattung des Sargs sollte die Kräfte des Chaos bannen und den Geist des Verstorbenen durch die Hoffnung auf einen Platz im Gefolge des Sonnenkönigs stärken. Über das gesamte Textkorpus der *Pyramiden-* wie auch der *Sargtexte* verstreut finden sich wertvolle Hinweise auf die Natur des mythischen Schöpfergottes von Heliopolis – wobei man sich freilich damit abfinden muß, daß den altägyptischen Schreibern an logischen Analysen offenbar wenig gelegen war. Der sogenannte *Papyrus Bremner-Rhind*, der sich im Besitz des Britischen Museums befindet, datiert aus einer wesentlich späteren Zeit, dem Beginn des 3. Jahrhunderts v. Chr. Die Erschaffung des Lebens durch eine Schöpfergottheit wird hier durch graphische Ausdrucksmittel nachgezeichnet. Obgleich dieser Papyrus aus der Ptolomäerzeit stammt, fußt er wahrscheinlich auf einem Original, das mindestens tausend Jahre älter ist.

Die Erhaltung des metaphysischen Berichts, der von der Schöpfung der Welt durch Ptah, den Gott von Memphis, erzählt, verdanken wir König Schabako (712–698 v. Chr.), einem Angehörigen der auf Expansion drängenden nubischen Dynastie, deren Hauptstadt sich nahe Gebel Barkal im Sudan befand. Bei der Eroberung von Memphis folgte er seinem Vorgänger Piye (früher als »Pianchi« gelesen) nach, kam selbst jedoch mit einer dauerhafteren Besatzungsmacht. Bei einer Inspektion des Ptah-Tempels mußte er zu seinem Entsetzen feststellen, daß die heiligste der Papyrusrollen, die eine dramatisierte Version der Thronbesteigung des Gottes Horus und den Mythos des memphitischen Schöpfergottes enthielt, durch Wurmfraß weitgehend zerstört war. Sofort ließ Schabako die noch unversehrten Textabschnitte der Rolle in

schwarzen Granit meißeln. Seine fromme Absicht, den Text zu erhalten, wurde indessen zum Teil durchkreuzt, denn der »Stein des Schabako« war, bevor ihn das Britische Museum ankaufte, als Mühlstein verwendet worden, wie die Vertiefung in der Mitte und die davon strahlenförmig ausgehenden Riefen bezeugen.
In der älteren Forschung nahm man an, daß die Sprache des Textes dieser »Theogonie von Memphis« auf einen Prototyp aus dem Alten Reich hindeute. Eine genauere Untersuchung der gedanklichen Struktur und der Attribute, die Ptah hier zugeschrieben werden, legt jedoch nahe, den auf das 3. Jahrtausend v. Chr. veranschlagten Ursprung dieses bemerkenswerten Mythos eher in der Ramessidenzeit (etwa 13. Jahrhundert v. Chr.) oder später zu vermuten.

*Die in den Stein des Schabako eingeschnittene Inschrift (etwa 700 v. Chr.) ist unsere wichtigste Quelle für den metaphysischen Schöpfungsmythos der Priester des Ptah zu Memphis. Die Rettung dieses Textes geht angeblich auf einen Befehl König Schabakos zurück, der ihn auf den Stein übertragen ließ; dieser wurde jedoch später als Mühlstein verwendet*

Unsere Kenntnisse über Amun, den Schöpfergott von Hermopolis, beruhen zum größten Teil auf dem *Papyrus Leiden I 350*, einer kunstfertigen und ausführlichen Lobpreisung Amuns, die sich hauptsächlich auf sein alleiniges Schöpfertum bezieht. Die aus dem Neuen Reich stammenden Tempel zu Deir el-Bahari und Luxor enthalten außerdem Abbildungen Amuns, die zeigen, wie er seine himmlische Heimstätte verläßt, um in einer heiligen Hochzeit mit der großen königlichen Gemahlin des jeweiligen Pharao den zukünftigen Monarchen zu zeugen. Die priesterlichen Schreiber der griechisch-römischen Periode, übrigens der letzten, in der ägyptische Tempel ausgeschmückt wurden, gaben bei ihren Reliefschneidern oft dunkle und rätselhafte theologische Szenen in Auftrag, wie wir sie etwa aus Esna und Edfu kennen. Diese Hieroglyphen überliefern Schöpfungsberichte, die zwar phantasievoll und reich an subtilen Anspielungen sind, aber mit einer allumfassenden, kosmischen Offenbarung anscheinend nicht mehr viel im Sinn haben.

## Der Sonnengott von Heliopolis

Unter den Vorstädten im Nordosten Kairos liegen die Ruinen von Onu (Stätte des Pfeilers) begraben, einstmals eines der wichtigsten und ältesten Heiligtümer Ägyptens. Dem griechischen Historiker Herodot war dieser Ort als Heliopolis, die Sonnenstadt, bekannt. Herodot besuchte die Gegend im 5. Jahrhundert v. Chr. – also mehr als zweitausend Jahre, nachdem man an den dortigen Altären zu opfern begonnen hatte. Die Gelehrten der Reichseinigungszeit (etwa 3000 v. Chr.) begannen hier mit der Ausarbeitung einer Kosmologie, die die elementaren Aspekte ihres Universums erklärt und in dem bedeutenden Beitrag zu den Pyramidentexten der V. und VI. Dynastie gipfelt.
Vor Anbeginn der Zeiten und der Entstehung eines strukturierten Kosmos, so heißt es dort, war nichts als ein grenzenloser, unbelebter Ozean in der Finsternis. Diese unendliche Wasserfläche bezeichnete man als das Urgeschöpf Nu oder Nun. Nun zu Ehren

wurden zwar keine Tempel errichtet, aber in vielen Kultstätten symbolisiert ein heiliger See den chaotischen Zustand des ›Nicht-Seins‹ vor der Schöpfung. Man dachte sich die riesige, leblose Wasserfläche jedoch als ewig, da sie nach der Schöpfung jenseits des himmlischen Firmaments weiter existiert und Sonne, Mond und Sterne, die Erde und die Grenzen der Unterwelt umschließt. Die Gefahr, Nun könnte durch den Himmel herabstürzen und die Erde überfluten, gehörte zu den Grundängsten der alten Ägypter. Die Vision dieser katastrophalen Zerstörung wird im Spruch 1130 der *Sargtexte* (in der von R. O. Faulkner 1973 besorgten Edition) angedeutet; es heißt dort: »Hügel werden zu Städten werden und Städte zu Hügeln, und Häuser werden Häuser zerstören.« Tritt diese Götterdämmerung ein, werden einzig die in Schlangen verwandelten Götter Atum und Osiris überleben, »welche die Menschen nicht kennen und die Götter nicht sehen« (nach Erik Hornung).

Atum, der »Herrscher von Heliopolis« und »Herr über die Grenzen des Himmels«, ist der Weltenschöpfer, der Demiurg, der am Zeitenbeginn aus Nun aufsteigt und alle Elemente des Universums erschafft. Er, der Sonnengott, bringt sich selbst hervor, wird Gestalt und erscheint hochgereckt auf dem Urhügel über den Wassern Nuns. Diese Vorstellung evoziert das Bild der Ufer und Inseln des Nils, wie sie nach den jährlichen Überschwemmungen wieder auftauchen. (Der Rhythmus des Flusses als Lebensquell Ägyptens und seines Wohlstands hat die Bildlichkeit des Schöpfungsmythos auf ebenso natürliche Weise beeinflußt, wie die Erfahrungswelt der frühen Schreiber die Gestalt der Hieroglyphen prägte.) Der Urhügel wurde in Form des sogenannten »Benben« verehrt, einer festen, pyramidenförmigen Erhebung, die dem Sonnengott als Stützpunkt diente. Der felsige Rest des ursprünglichen Hügels, den man möglicherweise für den versteinerten Samen Atums hielt, war angeblich im »Hewet-Benben« (Benben-Haus) in Heliopolis erhalten geblieben.

Dem Namen »Atum« liegt das Prinzip der Totalität zugrunde, als Sonnengott verkörpert er die Monade, das höchste Wesen und die Gesamtheit aller Elemente und Naturkräfte. In ihm sind bereits

*Der Sonnengott Re-Harachte vor dem Benben (Urhügel) von Heliopolis. Pyramidion des Ramose aus Deir el-Medine, um 1300 v. Chr.*

sämtliche Eigenschaften der nach ihm kommenden Gottheiten enthalten. Diese Totalität hat im altägyptischen Denken einerseits eine positive Seite, wie sie in der Vorstellung von der ewigen Fortdauer des Lebens zum Tragen kommt, andererseits einen zerstörerischen Aspekt, der sich beispielsweise in dem Verbrennen von Feinden äußert. Der Dualismus, der dem höchsten Wesen innewohnt, ist sowohl Voraussetzung für die Geburt erhaltender Gottheiten, wie z. B. der Isis, als auch für die zerstörerischer Götter, wie etwa des Seth.

Wie aber sollte es diesem männlichen Schöpferprinzip in seiner einsamen Herrlichkeit gelingen, für Nachkommenschaft zu sorgen? Die Erfindungskraft der heliopolitanischen Theologen überwand hier alle Schranken. Zwei Überlieferungen bildeten sich heraus, die zu erklären suchten, wie die lebensspendende Substanz Atums aus seinem Körper heraus gelangte, um eine männliche und eine weibliche Gottheit hervorzubringen. In Spruch 527 der *Pyramidentexte* heißt es unzweideutig, Atum habe in Heliopolis masturbiert: »Seinen Phallus ergreifend, ergoß er sich, um die Zwillinge Schu und Tefnet zu gebären.« Nur wenn man bedenkt, daß in Atum selbst die Prototypen aller Kräfte des Kosmos und der nachfolgenden Gottheiten enthalten sind, ergibt dieses recht drastische Bild einen Sinn. Andernfalls verkommt das Wort-Bild vom Orgasmus eines ithyphallischen Sonnengottes zur zotigen Karikatur, anstatt einen erhabenen und geheimnisvollen Schöpfungsakt heraufzubeschwören.

Die Geburt der Kinder Atums wird in Spruch 600 der *Pyramidentexte* jedoch anders erklärt. Diese Auslegung stützt sich auf die Assonanz von Wörtern mit ähnlichen Konsonantenskeletten (in der Hieroglyphenschrift erscheinen keine Vokale). Wortspiele galten im alten Ägypten als wirkungsvolles Mittel der Unterweisung, wie etwa ein im Britischen Museum bewahrter Papyrus über die Deutung von Träumen illustriert: Tritt in einem Traum eine ›große Katze‹ auf, so bedeutete das eine ›Rekordernte‹, da beide Wortfolgen im Ägyptischen ähnliche Phoneme oder Silben enthalten. Ohne den Humor leugnen zu wollen, der in allen Lebensbereichen des alten Ägypten wirksam war und der nur allzu oft übersehen wird, sollten wir die Wortspiele des Schöpfungsmythos jedoch nicht als bloße Kalauer werten; hinter ihnen steht vielmehr das Bestreben, bestimmte metaphysische Konzepte und Vorstellungen verbindlich zu vermitteln. Atum also wird als der Gott bezeichnet, der »Schu hervornieste und Tefnet ausgespien hat«. Schu erscheint in dieser Interpretation als Schleim Atums, da sein Name – für einen Luftgott recht passend von der Wortwurzel für ›leer‹ oder ›nichtig‹ herstammend – dem Wort mit dem Konsonantenwert *yshsh* in etwa ähnelt, das soviel bedeutet wie ›niesen‹ oder ›spucken‹. Der Name »Tefnet« erlaubt keine präzise Deutung, wird aber manchmal als ›Tau‹ oder ›Feuchtigkeit in der Luft‹ ausgelegt, da die ersten beiden Konsonanten des Namens das Wort *tf*, ›Speichel‹, ergeben. Auszüge aus dem *Papyrus Bremner-Rhind* führen die wichtigsten Aspekte des schöpfergöttlichen Zeugungsaktes zusammen:

> Alle Wesenheiten erhielten ihr Dasein, nachdem ich erschienen war ... kein Himmel war und keine Erde ... Ich ganz allein erschuf jedes Geschöpf ... das erste wurde mein Weib ... Ich kopulierte mit meiner Hand, und Schu entsprang meinem Niesen ... Tefnet spie ich aus ... Dann zeugten Schu und Tefnet Geb und Nut ... Geb und Nut zeugten Osiris, Seth, Isis und Nephthys ... die schließlich die Bewohner der Insel hervorbrachten.

Die hier genannten Gottheiten entstammen sämtlich einer Gruppe von neun Göttern und Göttinnen, die im Griechischen oft als »Enneade« (›Neunheit‹) bezeichnet wird. Diese spezielle Gruppierung von neun Gottheiten beschränkte sich offenbar auf die in Heliopolis entworfene Genealogie; an sich war jedoch das Konzept eines Gremiums von Gottheiten übertragbar. Die »Enneade« des Tempels von Abydos wies sieben Gottheiten auf, die des Tempels von Karnak fünfzehn. Da Gruppierungen von drei Hieroglyphen eine unbestimmte Mehrzahl anzeigen, kann man annehmen, daß die göttliche Neunheit den Plural des Plurals, sozusagen einen Überplural, bedeutet. Damit war ein Pantheon mit jeder beliebigen Anzahl von Göttern und Göttinnen in jedem beliebigen Tempel abgedeckt.

Schu und Tefnet, die beiden ersten von Atum erschaffenen Gottheiten, konnten unter anderem auch als Löwen dargestellt werden, wie beispielsweise auf der elfenbeinernen Kopfstütze des Tutanchamun zu sehen ist. Auf Vignetten des *Totenbuchs* erscheint Schu mit der Straußenfeder, der Hieroglyphe seines Namens, und stützt mit hochgereckten Armen den Leib der Himmelsgöttin Nut, die sich in hohem Bogen über ihrem Gemahl, dem Erdgott Geb, wölbt. In der heliopolitanischen Kosmologie scheint die wichtige Rolle Schus jedoch eher zurückgedrängt worden zu sein, da die ihm eigene starke Affinität zur Sonne wohl nicht mit der des höchsten Sonnengottes in Konkurrenz treten sollte. Hier ist Schu der Licht- und Luftgott, der die Einheit aus Luft und den sie durchdringenden Sonnenstrahlen repräsentiert. Dieser Vorstellung bediente sich Pharao Echnaton bei der älteren, lehrhaften Bezeichnung für den von ihm zum höchsten Sonnengott erklärten Aton: »Gepriesen sei Re-Harachte, frohlockend im Horizont – in seinem Namen als Schu, gegenwärtig in Aton (d. h. Sonnenscheibe)«. Der alleinige und absolute Machtanspruch Atons ließ sich jedoch nur über knapp zwei Dekaden des 14. Jahrhunderts v. Chr. aufrechterhalten.

Die löwinnenhäuptige Tefnet entzieht sich einer eindeutigen Kategorisierung. Einerseits bestätigen die *Pyramidentexte* ihre Affinität zu Feuchtigkeit oder Tau, andererseits findet sich etwa eine Stelle, wo Tefnet als die Atmosphäre der Unterwelt bezeichnet wird. Besonders hervorzuheben ist die enge Verbindung dieser Göttin mit dem höchsten Sonnengott: Als seine Tochter wurde sie mit dessen allmächtigem Sonnenauge gleichgesetzt.

Auf natürlichem Wege zeugen Schu und Tefnet Geb und Nut. Bemerkenswerterweise verstehen die alten Ägypter im Gegensatz zur indogermanischen Mythologie die Erde als männliches und den Himmel als weibliches Prinzip. Geb, der Erdgott, personifiziert das Land Ägypten und stellt das Bindeglied zwischen dem Land und dem Thron des regierenden Pharao dar. Die Himmelsgöttin Nut wurde zu einer der meistdargestellten Gottheiten der

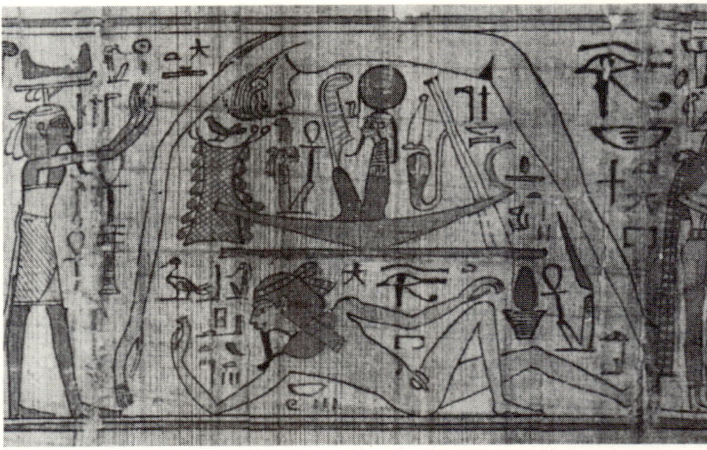

*Der Kosmos von Heliopolis: Die Himmelsgöttin Nut wölbt sich über ihrem liegenden Gemahl, dem Erdgott Geb, von dem sie durch den Luftgott Schu getrennt wird (um 1300 v. Chr.)*

älteren Enneade. Anfangs liegt ihr Leib über dem Gebs; nachdem sie ihm aber vier Kinder geboren hat, wird sie auf Weisung Atums durch Schu von ihrem Gemahl getrennt. Über ihr befindet sich Nun und das Nicht-Sein. Die prächtigen Malereien in der Sarghalle der Grabstätte Ramses' VI. (1156–1148 v. Chr.) im Tal der Könige heben ihre wichtige Rolle hervor: Die Reise des Sonnengottes am Firmament verläuft entlang der Unterseite ihres Leibs, der sich in einem hohen Bogen wölbt. Nach Ablauf der festgesetzten zwölf Tagstunden erreicht der Sonnengott den westlichen Horizont und wird von der Himmelsgöttin verschlungen. In den Nachtstunden durchläuft er den Leib der Himmelsgöttin in umgekehrter Richtung und wird bei Tagesanbruch im Osten von ihr wiedergeboren. Inmitten des bei seiner Geburt vergossenen Blutes erscheint der Sonnengott allmorgendlich erneuert und verjüngt am Himmel.

An diesem Punkt der Genealogie gelang es den Priestern von Heliopolis, mit einer raffinierten Verbindung der Göttergenerationen

die Osirislegende in das Sonnenkorpus zu integrieren. Den Ausgangspunkt hierfür bildete die Tatsache, daß Nut und Geb vier Kinder zeugten: Osiris, Isis, Seth und Nephthys. Diese Götter fungierten als Brücke zwischen den älteren, kosmischen Gottheiten der Enneade und der politischen Welt. Hinzu kommt, daß der göttliche Emporkömmling Osiris, für den sich keinerlei Inschriften oder andere archäologische Belege vor der V. Dynastie (2465 bis 2323 v. Chr.) finden, als Urenkel des Sonnengottes diesem untergeordnet, wodurch das ehrfurchtheischende Alter der Monade hervorgehoben wurde. Die Osiris-Legende wird an anderer Stelle eingehender behandelt werden; hier sei nur angemerkt, daß die vier Nachkommen Nuts und Gebs, indem sie die Neunheit von Heliopolis vervollständigen, den ewigen Kreislauf von Geburt und Tod symbolisieren, der auf den einmaligen Schöpfungsakt Atums folgt. Der Osiris-Zyklus entspricht dem Dualismus der kosmischen Ordnung des Sonnengottes: Osiris *vollendet* eine legitime Herrschaft über Ägypten; Seth *vernichtet* den rechtmäßigen Thronfolger Gebs. Hiervon später mehr.
Bevor wir den Schöpfungsmythos von Heliopolis abschließen, noch einige Bemerkungen zu dem Symbol der Lotosblume, der Rolle des Phönix und bestimmten Verschmelzungen Atums mit anderen Erscheinungsformen des Sonnengottes.
Das Symbol der Lotusblume diente den Priestern von Heliopolis offenbar als Verbildlichung der Geburt des Sonnengottes Atum. Aus den Fluten Nuns tauchte ihnen zufolge neben dem Urhügel auch der Urlotos auf, dem der kindliche Sonnengott entsteigt. Wie in den anderen Versionen ist der höchste Schöpfer auch hier Schöpfer seiner selbst. Eine wunderbare plastische Darstellung dieser Idee – eine hölzerne, bemalte Lotosblume, aus der sich das Haupt des kindlichen Sonnengottes emporhebt – ist im Museum von Kairo zu bestaunen. Diese Holzplastik wurde im Tal der Könige gefunden und gilt als ikonographische Identifikation Tutanchamuns mit dem neugeborenen Sonnengott. Später setzte man den Lotos selbst mit dem Gott Nefertem gleich, der in Memphis verehrt wurde. Im *Totenbuch* sind Beschwörungsformeln enthalten, mit deren Hilfe der Verstorbene sich in Nefertem verwandeln

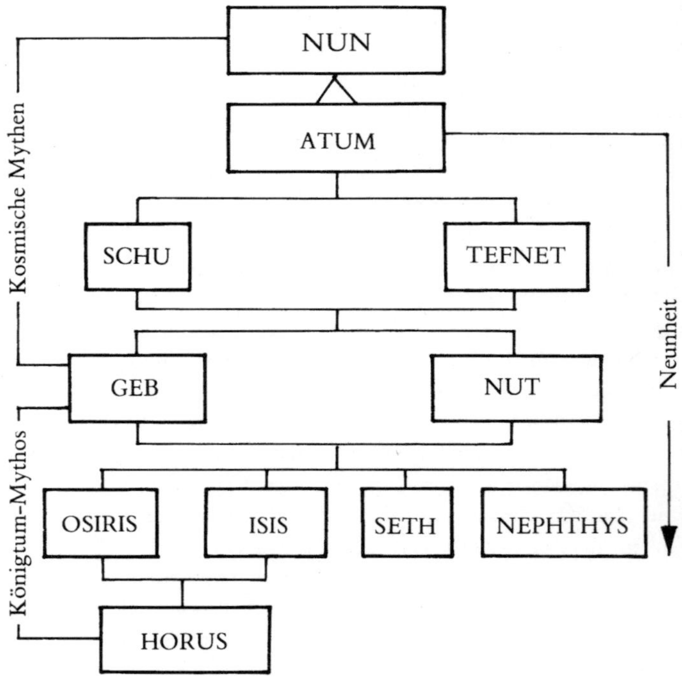


*Die Götter von Heliopolis*

sollte, da dieser als »der Lotos an der Nase des Sonnengottes« galt.

Der Phönix, von dem Herodot bei seinem Aufenthalt in Ägypten im 5. Jahrhundert v. Chr. zwar hörte, den er jedoch, außer auf mythologischen Papyri oder Wandreliefs, niemals zu Gesicht bekam, wurde ursprünglich als gelbe Bachstelze, später jedoch als Reiher mit langem Schopfgefieder dargestellt. In den Hieroglyphen wurde er *Benu* genannt, eine Ableitung des Ausdrucks ›sich im Glanz erheben‹. Wie der Sonnengott erschafft der Benu sich selbst und galt als ein weiteres Symbol der göttlichen Geburt. In einer Anrufung Atums in Spruch 600 der *Pyramidentexte* heißt es

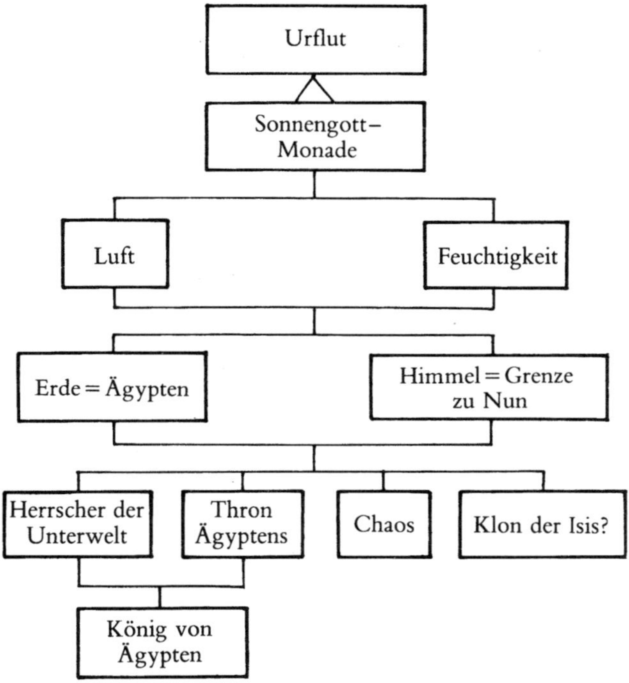


hierzu: »... erstanden bist du, gleich dem Benben, im Haus des Benu in Heliopolis«.

Wenngleich Herodot weit davon entfernt war, an die Existenz des Phönix zu glauben, so zeichnete er doch auf, was die Priester über ihn zu berichten wußten. Der Phönix des Herodot ist ein adlerähnlicher Vogel mit prächtigem roten und goldenen Gefieder; alle fünfhundert Jahre, jeweils nach dem Tod seines Ahnen, fliegt der Phönix von der arabischen Halbinsel nach Ägypten herüber. In einem Ei aus Myrrhe trägt er dessen einbalsamierten Leib mit sich, um ihn dann im Tempel des Sonnengottes zu bestatten. Die gravierenden Unterschiede zwischen dem Phönix des Herodot und anderer klassischer Autoren und dem Benu der alten Ägypter lassen es indessen fraglich erscheinen, ob zwischen den beiden Vögeln tatsächlich eine Verwandtschaft besteht. Es ist gut möglich, daß Herodot sich von Abbildungen hat verwirren lassen. Der Vogel, den er dort zu Gesicht bekam, war jedoch mit Sicherheit nicht der Benu. Weder die von Herodot beschriebene Gestalt noch die leuchtenden Farben des Gefieders sind für ihn charakteristisch. Bei diesen Abbildungen wird es sich wohl eher um den ägyptischen Geier oder den Horusfalken gehandelt haben. Die Erwähnung des Weihrauchs wirkt indessen authentisch, denn Weihrauch wurde im ägyptischen Tempelritual hoch geschätzt. Auch die zur Einbalsamierung verwendete Myhrre könnte in dieser Periode der ägyptischen Zivilisation in Heliopolis durchaus benutzt worden sein, da sie auf Handelswegen über das Rote Meer von Süd-Arabien nach Ägypten kam. Zu bedenken ist außerdem, daß wir nichts über die Stellung der Informanten Herodots innerhalb der priesterlichen Hierarchie wissen. Ob sie zu den höheren, in der Theologie von Heliopolis wohl bewanderten Chargen gehörten oder noch im Studium begriffene Novizen waren, ist ungewiß. Möglich ist auch, daß die Übersetzer mit einigen Details der Beschreibungen des Benu nicht zurechtkamen; uns fehlt es vor allem an Dokumenten aus der Zeit Herodots, die Aufschluß über die komplexeren Aspekte dieses Vogels geben könnten, die sich während der zwei Jahrtausende nach seiner ersten Erwähnung in den *Pyramidentexten* herausbildeten. So wissen wir etwa, daß der Benu im Beisetzungsritus eine Rolle zu spielen begann und zum Garanten für die Auferstehung des Verstorbenen in der Unterwelt wurde. Der wichtigste Berührungspunkt des Benu und des Phönix ist denn auch ihre Verbindung mit dem Sonnentempel von Heliopolis, die beiden zugeschrieben wird.

Zu bemerken bleibt noch, daß es eben die Vielschichtigkeit der Monade war, die eine Vielzahl von Erscheinungsformen verlangte. Schon zu Zeiten der Aufzeichnung der *Pyramidentexte* ist die Verschmelzung Atums mit drei Aspekten der Sonne bekannt. Das Wort *Re* ist ein Grundbegriff für ›Sonne‹, der sowohl deren materielle Präsenz am Himmel als auch den Namen des Sonnengottes,

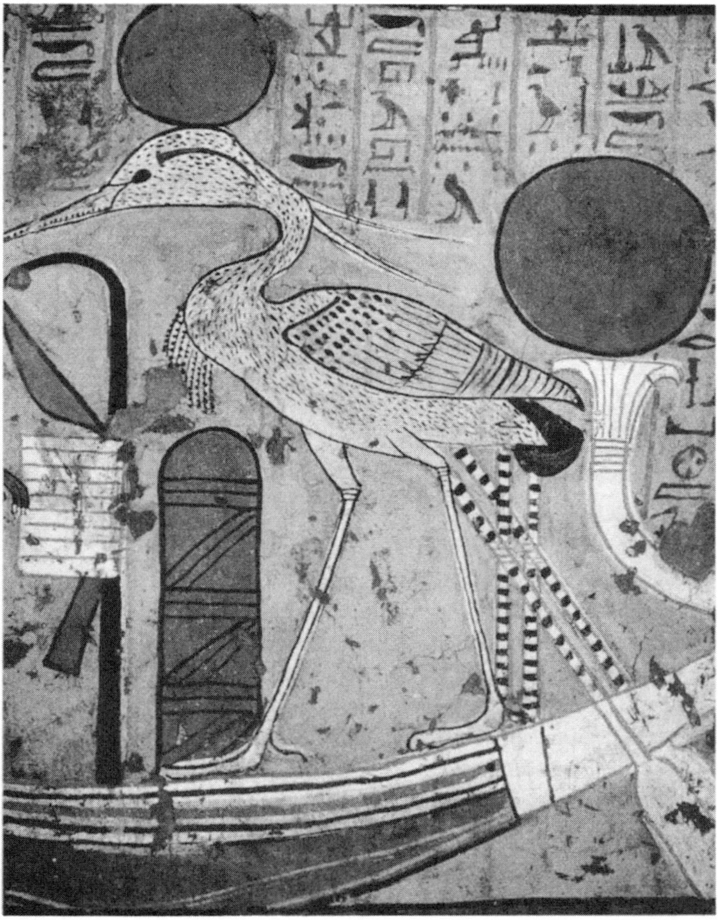

*Der Benu oder Phönix, eine Erscheinungsform des Sonnen- und Schöpfergottes von Heliopolis; Grab des Arinefer in Deir el-Medine, West-Theben, um 1300 v. Chr.*

›strahlend in seiner Scheibe‹, meint; *Chepre* (›der Entstehende‹) bezeichnet mit einer unmittelbar der Natur entliehenen Bildlichkeit die aufgehende Sonne, die von einem geflügelten Skarabäus wie eine seiner Mistkugeln über den Rand des Horizonts geschoben wird; *Harachte* (der horizontische Horus) ist der wie die Sonne in großer Ferne hoch am Himmel schwebende Falke. Die verschiedenen Bezeichnungen lassen sich zusammensetzen, beispielsweise zu Re-Atum oder zu Re-Harachte. Der Kern des Schöpfungsmythos von Heliopolis wird jedoch durch diese Mannigfaltigkeit der Erscheinungen keineswegs beeinträchtigt, denn jede von ihnen umfaßt nur einen bestimmten Aspekt des Sonnen- und Schöpfergottes.

## Ptah von Memphis

Ptah, ›südlich seiner Mauer‹, war der Gott von Memphis, der uralten politischen Hauptstadt Ägyptens. Sein dortiger Tempel, *Hewet-ka-Ptah* (›Haus des ka Ptah‹), gab im Neuen Reich (1550–1070 v. Chr.) der gesamten Region ihren Namen, und selbst das Wort ›Ägypten‹ leitet sich über das Griechische von ihm her. Die Ruinen von Memphis – für Besucher sind hier nur eine Sphinx Amenophis' II. und eine Kolossalstatue Ramses' II. von Interesse – verraten wenig über die einst blühende, weltoffene Metropole. Doch abgesehen von den untergegangenen Denkmälern und Bauwerken dieser Stadt, verdient Memphis unsere besondere Aufmerksamkeit in ihrer Rolle als Hüterin einer bemerkenswerten geistigen Tradition, in deren Kosmologie Ptah die Rolle der ältesten und ranghöchsten Urgottheit einnimmt. Die Priester Ptahs formulierten hier jene außerordentliche metaphysische Synthese der Schöpfung, wie sie uns auf der schon erwähnten Stele des Königs Schabako, die sich ursprünglich im Tempel selbst befand, erhalten geblieben ist.

Bevor wir auf den Text der Granitstele näher zu sprechen kommen, bedarf es noch einiger Worte zur Rolle Ptahs als höchstem Schöpfergott. In den *Sargtexten* und in Dokumenten aus der Ramessidenzeit erscheint Ptah als Schöpfer sowohl der Sonne als auch der anderen Götter, der auch für das Wachstum und Gedeihen der Vegetation verantwortlich ist. Schon für das Alte Reich ist belegt, daß Ptah als höchster Bildner angesehen wurde, und in Memphis wurde sein Hoherpriester als ›Oberster Meister der Herren des Handwerks‹ bezeichnet. Von der Regierungszeit Ramses' II. an (1290–1224 v. Chr.) läßt sich eine Vermischung des Gottes Ptah mit der Gottheit Tatenen feststellen. Der Name »Tatenen« bedeutet soviel wie ›erhobenes‹ oder ›geschiedenes Land‹; es bezeichnet also das aus den Urfluten Nuns emporsteigende, feste Land, so daß Tatenen mit dem Urhügel gleichgesetzt werden kann. Soviel als Voraussetzung – denn nun wollen wir uns der Version des memphitischen Schöpfungsmythos, der in Spalte dreiundfünfzig des besagten Steins des Schabako einsetzt, ausführlicher zuwenden.

Ptah, der Allmächtige, rief alle anderen Gottheiten mittels Herz und Zunge ins Leben, unter ihnen auch Atum von Heliopolis. Das Denken des Herzens und die Sprache der Zunge bestimmen die Handlungen aller Glieder; so ist Ptah allgegenwärtig im Mund und Herzen »aller Götter, aller Menschen, allen Viehs und allen lebendigen Getiers, das auf der Erde kriecht«. Er steht über Atum, der seine Neunheit »mit seinem Samen und seinen Händen« erschuf. Denn die Neunheit des Ptah besteht aus den Zähnen und der Zunge seines eigenen Mundes, und die Macht seiner Worte ist so groß, daß die gesamte Schöpfung mit all ihren Elementen in dem Augenblick zu existieren beginnt, in dem er sie ausspricht. Was die Augen sehen, die Ohren hören und die Nase atmet, es geht direkt zum Herzen, und die Zunge spricht, was das Herz beschließt. Auf diese Weise verlieh Ptah den anderen Göttern Leben und wurde Tatenen, »dem alles Leben entsprang«. Nachdem Ptah die Geburt der Götter vollbracht hatte, schuf er ihnen Städte, Heiligtümer, Schreine und immerwährende Opfergaben.

Von diesem Mythos ausgehend, kann Ptah als geistiges Schöpferprinzip verstanden werden, das sich mit dem der Materie, also dem Urhügel Tatenen, zu einer Einheit verbindet. Diese Einheit repräsentiert die vollendete Synthese von Geist und materieller

Welt. Ein Widerhall dieses beeindruckenden, von den Priestern zu Memphis formulierten philosophischen Schöpfungsentwurfs klingt in der folgenden Passage des Neuen Testaments, dem Beginn des Johannes-Evangeliums, an:

> Im Anfang war das Wort, und das Wort war bei Gott,
> und Gott war das Wort.
> Dasselbe war im Anfang bei Gott.
> Alle Dinge sind durch dasselbe gemacht, und ohne dasselbe
> ist nichts gemacht, was gemacht ist.
> In ihm war das Leben, und das Leben war das Licht der
> Menschen.

Der augenfälligen Ähnlichkeit dieser Schöpfungsentwürfe ist schon viel Aufmerksamkeit gewidmet worden. Weitgehend unbeachtet geblieben ist bisher allerdings jener kleine, doch anti-geistige Schritt des Johannes, der von der Anerkennung einer potentiellen Schöpferintelligenz, wie sie sowohl von Johannes als auch von der memphitischen Priesterschaft wortreich verkündet wird, zum Dogma der Prädestination führt. Die perfide ›Brücke‹ bildet das Argument, daß im Wort des allmächtigen Gottes, des Schöpfers des Menschen und Herrn über die kosmische Ordnung, schon alle zukünftigen Ereignisse enthalten seien. Eine gleichermaßen unterwürfige Anerkennung der göttlichen Vorherbestimmung menschlichen Daseins läßt sich beispielsweise auch in einigen von Scheherazade, der Erzählerin von *Tausendundeiner Nacht*, zitierten Dichterversen erkennen:

> Geh deines Wegs und tröste dich,
> Du Kind des Gläubigen;
> Er, der die Welt mit Seinen Händen schuf,
> Hält sie und uns in Seinen Händen ewiglich.
> Was Er aufschrieb, kannst du nicht ändern
> Was Er nicht aufschrieb, wird niemals sein ...
> So wandle denn leichten Herzens, unbeschwert und ohne
> Sorge,
> denn alles ist bei Ihm;

Fürchte nicht die Taten der Menschen, die Kümmernisse betrauere nicht,
und vor allem schmiede keine Pläne, denn der Schmied aller Pläne ist Er ...

Die Priester von Memphis dagegen trieben ihre Spekulationen und Dispute soweit voran, daß sich die fortschrittlichen Grundsätze der Logos-Doktrin entfalten konnten. – Stellenweise muß es dabei zu hitzigen Diskussionen über die Natur Ptahs gekommen sein. Als Resultat dieser konstruktiven Debatte steht uns schließlich die Kosmogonie von Memphis vor Augen, wie sie auf der Stele des Schabako nachzulesen ist. Sicher wäre die fruchtbare Initiative der Priester des Ptah, sich mit dem auseinanderzusetzen, was der mittelalterliche persische Dichter Omar Chajjam in seinen *Vierzeilern* (*Rubaijat*) als »Streit des Universums« bezeichnet, schon im Keim erstickt worden, hätte im Ägypten der Pharaonen eine denkfeindlich-fundamentalistische Atmosphäre der Unverhandelbarkeit religiöser Grundsätze geherrscht.

## Die Achtheit von Hermopolis

Die mittelägyptische Fundstätte El-Aschmunen bezeichnet heute den Ort, wo sich einst eine wohlhabende Stadt befand, deren eindrucksvolle Tempelanlage dem Gott Djehewty geweiht war – uns eher unter seinem griechischen Namen Thot bekannt. Die Ruinen sind riesig, doch überwachsen und von Natur und Mensch so in Mitleidenschaft gezogen, daß ihre Enträtselung selbst dem Fachmann höchste Aufmerksamkeit abverlangt. Mehrere archäologische Exkursionen, darunter eine des Britischen Museums, das hier in den achtziger Jahren intensive Grabungen durchführte, haben dazu beigetragen, unsere Kenntnisse über die verschiedenen Entwicklungsstufen, deren Zeugen sich auf diesem Areal finden, zu erweitern. – Die meisten heutigen Besucher von El-Aschmunen werden jedoch nur die monumentale christliche Basilika näher erforschen können, die aus wiederverwendeten Säulen und anderen

Bauteilen römischer Herkunft errichtet wurde. Als das wichtigste Kultzentrum Thots erhielt die Stadt von den Griechen, die Thot mit ihrem Gott Hermes gleichsetzten, den Namen Hermopolis. Thot galt unter anderem als der Gott der Weisheit und der Schreibkunst, dem die Ägypter ihre Hieroglyphen verdankten. In der ägyptischen Sprache hieß Hermopolis Schmunu, woraus über das Koptische der moderne arabische Name El-Aschmunen wurde. »Schmunu« bedeutet soviel wie ›Stadt der Achtheit‹, und die Stadt galt als die Heimstätte der acht Urgottheiten, die auch als Achtheit von Hermopolis bekannt sind.

Im Schöpfungsmythos der Achtheit wird die Zusammensetzung der chaotischen Urmaterie mit beinahe wissenschaftlichem Interesse analysiert. Die ursprüngliche kosmische Materie ist hier komplexer als Nun von Heliopolis, wenngleich Nun zu den mythischen Urgeschöpfen gezählt wird, aus denen sich die Urmaterie zusammensetzt. Man wird zugeben müssen, daß es der Kosmogonie von Hermopolis sowohl an der ausgeprägten Bildlichkeit des Sonnengott-Mythos von Heliopolis mangelt als auch an der gedanklichen Präzision der Theologie von Memphis. Sehr wahrscheinlich läßt sich die Dürftigkeit der Quellen, die über die Mythen von Hermopolis Auskunft geben, jedoch auf die beinahe vollständige Zerstörung oder ›Nicht-Ausgrabung‹ pharaonischen Materials in El-Aschmunen zurückführen. So waren es denn auch aus Theben stammende Zeugnisse, die dem deutschen Ägyptologen Kurt Sethe 1929 die Abfassung seines bahnbrechenden Werks *Amun und die Acht Urgötter von Hermopolis* ermöglichten.

Die Anzahl der Götter und Göttinnen von Hermopolis ist nichts weniger als zufällig, denn im alten Ägypten symbolisiert die Vierzahl eine umfassende Ganzheit. Diese Auffassung drückt sich beispielsweise in dem Konzept der vier Himmelsrichtungen aus; vier Kinder sind es auch, die die Göttin Nut von Heliopolis zur Welt bringt, und die Eingeweide, die dem Verstorbenen bei der Balsamierungszeremonie entnommen wurden, unterstanden dem Schutz von ebenfalls vier Horus-Söhnen, über die wiederum vier Göttinnen wachten. Folglich impliziert die Zahl acht eine Verdoppelung dieser Totalität. In Spruch 76 der *Sargtexte* heißt es beispielsweise, der Gott Schu habe acht »ewige Geschöpfe« erschaffen, die ihm dabei helfen sollten, den Leib der Himmelsgöttin zu stützen.

Die Mitglieder der Achtheit von Hermopolis, die sich in vier Paare untergliedert, personifizieren die Elemente der Urmaterie. Die männlichen Gottheiten wurden als Frösche oder froschköpfig dargestellt, die weiblichen als Schlangen. In seinem anregenden Werk *Kingship and the Gods* charakterisiert Henri Frankfort diese Vorstellung so: »Man stellte sich das Chaos in Gestalt von acht sonderbaren Kreaturen vor, die einer Existenz im Urschlamm angepaßt waren.« Die Namen dieser acht Gottheiten sind überliefert, in einigen Fällen ist es jedoch schwer zu bestimmen, welche bildliche Vorstellung die Ägypter genau mit ihnen verbanden. Die fol-

*Der ibisköpfige Thot, oberster Gott der Schöpfer-Achtheit von Hermopolis, als göttlicher Schreiber beim Totengericht. Vor ihm der Verschlinger der Bösen Herzen und Osiris, der Gott der Unterwelt. Grab des Petosiris in El-Mazauwaka, Oase Dachle (hellenistische Periode)*

gende Tabelle führt auf, welches Element den Paaren jeweils zugeordnet war, läßt aber eine eventuelle Differenzierung zwischen dem männlichen und dem weiblichen Teil unberücksichtigt.

| *Götter (Frösche)* | *Göttinnen (Schlangen)* | *Element* |
|---|---|---|
| Nun | Naunet | Urwasser |
| Huh | Hauhet | Überschwemmung |
| Kuk | Kauket | Finsternis |
| Amun | Amaunet | verborgene Dynamik |

Bei Huh läßt sich anhand linguistischer Belege schlüssig nachweisen, daß die geläufige Übersetzung »Unendlichkeit« auf einer Verwechslung zweier verschiedener Wörter mit ähnlichem Konsonantenstamm beruht.

Schließlich kommt es zwischen diesen Wesen, aus denen sich die Urmaterie zusammensetzt, zu einer explosiven Reaktion, die das Gleichgewicht ihrer elementaren Kräfte stört. Die Verfasser der Kosmogonie von Hermopolis waren davon überzeugt, daß die Achtheit sich weiter zurück datiert als die Neunheit von Heliopolis, also jener der Ursprung der Sonne zu verdanken war. Dementsprechend glaubte man, die freigewordene, explosive Energie der Achtheit habe den Urhügel aus der aufgewühlten Urmaterie emporgeschleudert. Später sollte der Urhügel Hermopolis tragen, bei seinem ersten Auftauchen trägt er jedoch den Namen ›Flammeninsel‹, da sich hier die Geburt des Sonnengottes vollzieht und der Kosmos Zeuge der glühenden Lohe des ersten Sonnenaufgangs wird. Daß die Achtheit bei diesem umwälzenden kosmischen Ereignis eine führende Rolle spielt, ist für den Mythos von Hermopolis von besonderer Wichtigkeit. Die Mitglieder der Achtheit waren für die alten Ägypter ›die Väter und Mütter, die im Anfang entstanden, die die Sonne gebaren und Atum machten‹. Nach dem Schöpfungsakt beginnen sich in dem neuen Universum andere Ereignisse zu entwickeln – drei der vier Götterpaare zeigen jedoch keinerlei weiteres Interesse, sie bleiben vielmehr unbeteiligt und unbewegt im Strudel der Urmaterie zurück. Nur Amun und Amaunet verbinden ihr Geschick mit dem der

neuentstandenen Ordnung und verlassen Hermopolis in Richtung Theben.
In einem Grab in Tuna el-Gebel, der Nekropole von El-Aschmunen, finden sich Zeugnisse, die dem Schöpfungsmythos von Hermopolis eine faszinierende Facette hinzufügen. Es handelt sich um das Grab von Petosiris, dem Hohenpriester Thots von Hermopolis, das kurz nach der Eroberung Ägyptens durch Alexander den Großen 332 v. Chr. in Form eines Miniaturtempels errichtet wurde. Petosiris hatte den Posten eines Priesters der Achtheit bekleidet, deren Rückzug aus Hermopolis nach den kosmischen Ereignissen um die ›Flammeninsel‹ jedoch bedeutete, daß die Rolle des ›Herrn von Schmunu‹ auf Thot überging. In den autobiographischen Inschriften weist Petosiris auf Ausbesserungsarbeiten hin, die er an dem stark beschädigten Tempelbezirk von Hermopolis hatte ausführen lassen, nachdem dieser durch Unruhen während der zweiten Persischen Herrschaft über Ägypten (343 v. Chr.) sehr in Mitleidenschaft gezogen worden war. Petosiris erweckte die Tempelrituale zu neuem Leben, entwarf eine neue Dienstordnung für die Priester und verbesserte deren Aussicht auf Beförderung. Er leitete die Zeremonien zur Grundsteinlegung eines Kalksteintempels für den Sonnengott Re, der hier als ›Kind der Flammeninsel‹ bezeichnet wird. Soweit stimmt alles mit dem Mythos von Hermopolis überein, doch nun tritt ein neues Schöpfungssymbol in den Vordergrund. Petosiris beschreibt, wie er eine Einfassungsmauer um einen bestimmten Bezirk des Tempels habe errichten lassen, der von Rowdies zerstört worden war. Diesen Bezirk bezeichnet er als »die Geburtsstatt eines jeden Gottes« und berichtet, daß anläßlich seiner Verwüstung ein Aufschrei der Empörung durch ganz Ägypten gegangen sei. Diese Empörung gründete sich offensichtlich auf den Glauben, die Überreste des kosmischen Eis, dem der Sonnengott entstiegen war, seien an dieser Stelle begraben worden. Folglich muß die Vorstellung des aus dem Ur-Ei berstenden Sonnengottes in Hermopolis eingeführt worden sein. Möglicherweise stellt diese Ur-Szene eine Überlagerung des Originalmythos dar, in dem Thot das Ur-Ei zur Geburt des Sonnengottes im Flug zu dem Urhügel von Schmunu transportiert.

## Amun, der transzendente Schöpfergott

In den hymnischen Lobpreisungen, die Amun als den einzigen Schöpfergott verherrlichen, erreicht die Wortgewalt der thebanischen Priester des Neuen Reichs ihren Höhepunkt. Die Lobgesänge, besonders die Verse im *Papyrus Leiden I 350*, zielen – ähnlich wie die Beschreibung des Sonnengottes Aton im Grab des Ay in El-Amarna – darauf ab, darzulegen, daß alle Elemente des materiellen Universums als Manifestationen eines einzigen, allerschaffenden Demiurgen zu verstehen seien. Alle Aspekte der vorangegangenen Schöpfungsmythen werden in der Person Amuns zusammengeführt; eine Synthese, die ihn über alle anderen Gottheiten hinaushebt, da er »höher als der Himmel und tiefer als die Unterwelt« reiche. Damit gilt er als die älteste Gottheit überhaupt. Immer wieder beschäftigten sich die ägyptischen Priester-Poeten mit der Unergründbarkeit Amuns. Schon sein Name deutet auf sein Mysterium hin: Da Amuns innerstes Wesen nicht erkannt werden kann, ist es unmöglich, ihn mit einem Namen zu bezeichnen, der sich auf die Natur dieses unbekannten Seins bezieht. Der Name Amun leitet sich also von der Vorstellung des ›Verborgenseins‹ her, und die zutreffendste Übersetzung lautet wohl: ›der sich verborgen hält‹. Amuns Identität ist so geheim, daß sein letzter Name selbst den anderen Göttern unbekannt ist. Riskiert man eine kleine Majestätsbeleidigung, könnte man Amun beinahe mit einem sizilianischen ›Über-Paten‹ vergleichen, dessen Teilhaber sich nie über den Grad seiner Einmischung sicher sein können. Am besten halten sie sich also an eine Politik der *omerta* (wie die Verschwiegenheit der Mafia genannt wird). Denn in den Worten der *Leidener Hymne* ist Amun »zu groß, ihn zu erforschen und zu mächtig, ihn zu erkennen«; der Versuch, sich unrechtmäßiges Wissen über sein innerstes Wesen anzueignen, wird ausdrücklich mit dem sofortigen Tod geahndet.

Amun ist der Exponent der Entwicklung Thebens zum führenden religiösen Zentrum Ägyptens. Seine lokale Vorrangstellung in dieser Region ist schon für das Mittlere Reich belegt, in dem er, wie der alte Fruchtbarkeitsgott Min von Koptos, besonders in seiner Eigenschaft als Fruchtbarkeits- und Zeugungsgott verehrt wurde. Seiner unerschöpflichen Zeugungskraft und Regenerationsfähigkeit wegen wird er auch mit dem Beiwort ›Kamutef‹ oder ›Stier seiner Mutter‹ belegt. Eine der schönsten Abbildungen Amuns in dieser Rolle findet sich im Stationstempel Sesostris' I. (1971–1926 v. Chr.), der im Freilichtmuseum der Tempelanlage von Karnak rekonstruiert wurde. Jedoch erst in den fünf Jahrhunderten des Neuen Reichs wurde Amun als unbestrittener Herrscher des ägyptischen Pantheons verehrt – ausgenommen die kurze Zeitspanne von etwa zwei Jahrzehnten, in denen die ›Sonnenscheibe‹ des Pharaos Echnaton zum höchsten Gott befördert wurde. Amun als dem »Herrn der Throne beider Länder« und »König der Götter« wurden so enorme Tempelanlagen gebaut, daß Gerüchte über die Herrlichkeit Thebens bis über die Grenzen Ägyptens in die Welt der Verfasser der griechischen Epen drangen. So läßt Homer seinen Achill in der Ilias die folgenden Worte über Agamemnon äußern:

> Verhaßt sind mir seine Gaben und ich achte ihn für gar nichts!
> Und wollte er mir auch zehnmal und zwanzigmal soviel geben,
> Soviel er jetzt hat, und wenn noch von irgendwoanders etwas hinzukäme,
> Oder soviel in Orchomenos eingeht oder soviel in Theben,
> Dem ägyptischen, wo in den Häusern der meiste Besitz liegt –
> Hunderttorig ist es, und zweihundert können durch jedes
> Männer herausziehen mit Pferden und Wagen – [...]
> Auch so würde er nicht mehr meinen Mut bereden, Agamemnon,
> Bis er mir nicht die ganze hat abgebüßt, die herzkränkende Beschimpfung!
>
> (Homer, *Ilias* 9, 378–387; Übertragung: W. Schadewaldt)

Natürlich hat es auch zu anderen Zeiten und andernorts in Ägypten Amun geweihte Heiligtümer gegeben. In der Dritten Zwischenzeit zum Beispiel, der Periode, die auf das Neue Reich folgt,

ließen die Herrscher der XXI.–XXII. Dynastie (etwa 1070–715 v. Chr.) zu Tanis im Nildelta riesige Denkmäler aus der Regierungszeit Ramses' II. wieder aufstellen. Sie wurden zur Errichtung eines gigantischen Amun-Tempels benutzt, der als das Gegenstück zu Karnak gedacht war. Um aber einen getreuen Eindruck von der überragenden Bedeutung Amuns zu gewinnen, sollte man sich an die Säulenhallen, Obeliske, Kolossalstatuen, Wandreliefs und Inschriften der Tempel Thebens halten. Selbstredend sah man Theben als den Ort, an dem sich der Urhügel zu Beginn aller Zeiten emporgewölbt hatte. Theben galt als das Ur- und Vorbild aller Städte, der man in ganz Ägypten nachzueifern suchte, um doch nur als ihr schwacher Abglanz zu erscheinen.
In dem Schöpfungsmythos von Hermopolis tritt Amun als ein Bestandteil der elementaren Kräfte der Achtheit auf. Als einzige Schöpfergottheit der thebanischen Theologie muß er jedoch schon jenseits des Schöpfungsaktes stehen und auch der gemeinsamen Anstrengung der Achtheit, den Urhügel emporzuschleudern, vorausgegangen sein. Es wird die thebanischen Denker einige Anstrengungen gekostet haben, dieses Problem in den Griff zu bekommen. Amun, »der sich selbst gemacht hat«, ist ihnen zufolge Schöpfer seiner selbst, bevor noch irgend etwas existiert. Ohne auf Einzelheiten dieses mysteriösen Vorgangs einzugehen, wird die Atmosphäre des kosmischen Ereignisses heraufbeschworen, indem von Amuns ›Fluidum‹ die Rede ist, das sich mit seinem Körper verbindet, um das kosmische Ur-Ei zu bilden. Nachdem Amun Gestalt geworden ist, erschafft er die Urmaterie – die Elemente der Achtheit, von der er selbst ein Bestandteil ist. Er ist der ›Erste, der die Ersten gebar‹. Das Universum ist indessen immer noch in reglose Stille und Finsternis gehüllt. Es scheint so, als sei Amun auch jener Energiestoß, der nun zuerst Bewegung in die vorschöpferische Achtheit bringt. In seiner Monographie sieht Kurt Sethe die Rolle Amuns ähnlich wie die des »Geistes Gottes«, der »auf dem Wasser schwebte«. Amun wäre also mit dem stimulierenden Windhauch über den Fluten der Urmaterie gleichzusetzen, der sie zu einem wilden Strudel aufwühlt, welcher den Urhügel emporschleudert. Diese Sichtweise hat einiges für sich, zumal

*Tempel des Reichsgottes Amun in Karnak. Der vordere Obelisk wurde von König Thutmosis I. (1506–1494) aufgestellt, der hintere von Königin Hatschepsut (1490–1468)*

die Verknüpfung Amuns mit dem Wind gut zu seiner Unsichtbarkeit paßt. Neben diesem Schöpfungskonzept enthält die *Leidener Hymne* noch eine weitere, recht vergnügliche Version, wie es Amun gelingt, die Schöpfung in Gang zu setzen: Über dem leblos-stillen Universum erschallt urplötzlich die mächtige Stimme des »Großen Schnatterers«, deren Dröhnen erwartungsgemäß »jedes Auge öffnet« und das Universum in Aufruhr versetzt. Hier ist es also das durchdringende Geschrei Amuns in Gestalt einer Nilgans, das den Prozeß der Schöpfung einleitet.

Großes Gewicht legten die thebanischen Theologen auf den Grundsatz, alle anderen wichtigen Gottheiten seien als Manifestationen Amuns zu sehen. Im Gegensatz zu den anderen Urgottheiten der Achtheit sinkt er nämlich keineswegs in kosmische Unbeteiligtheit zurück, sondern wird zu Tatenen, dem Urhügel. Später wird Amun auch zu dem hoch am Himmel stehenden Sonnengott, der sich in dem ewigen Zyklus von Sonnenauf- und -untergang wieder und wieder verjüngt. Aus diesem Grund wird er auf einer Unzahl seiner Denkmäler als Amun-Re bezeichnet. Auch die Neunheit von Heliopolis wird als eine seiner Manifestationen betrachtet. Dies gilt überhaupt für alle wichtigen Gottheiten, und es sind insbesondere drei, die als Einheit die Gestalt Amuns bilden: Re als Angesicht, Ptah als Leib und Amun als inneres, verborgenes Wesen.

Eine Ausprägung Amuns als vorgeschichtlicher Urgottheit, die wahrscheinlich nur in der Gegend um Theben eine Rolle spielte, soll noch zur Sprache kommen. Erwies sich der Schöpfergott des *Leidener Hymnus,* der alle anderen Götter assimilierte, für einige Geister als zu philosophisch und abstrakt, so hatten die thebanischen Priester auch noch eine sehr konkrete Version des urgeschöpflichen Amun anzubieten. Am Westufer Thebens liegt Medinet Habu, eine wegen des imposanten Totentempels Ramses' III. (1194–1163 v. Chr.) vielbesuchte Fundstätte; nördlich des befestigten Westtores innerhalb der Umfassungsmauern hat noch ein anderer Tempel seinen Platz. Dessen jetzige Gestalt entstand während der XVIII. Dynastie, die von der gemeinsamen Regierungszeit Hatschepsuts und Thutmosis' III. (Beginn etwa 1479

*Goldstatuette des transzendenten Schöpfer- und Sonnengottes Amun. In der einen Hand hält er das Anch, Zeichen des Lebens; in der anderen das Sichelschwert, Symbol der Macht und der Eroberung fremder Gebiete. Bronze, Spätzeit*

v. Chr.) bis in die Periode der griechisch-römischen Besatzung und der Herrschaft von Antoninus Pius (138–161 n. Chr.) reicht. Regelmäßig wurde die Statue Amuns aus Karnak zu dieser Kultstätte gebracht, damit Amun seinem Ahnen, oder vielmehr der eigenen, schlangengestaltigen Urform, seinen Gruß entrichten konnte. Die Schlange wurde als ›Kematef‹ oder ›der seine Zeit vollendet hat‹ bezeichnet. Dieser Name konnte sich einerseits auf ihre blitzartige Schnelligkeit beziehen, und damit eine innere Analogie zu der aus Amun hervorbrechenden Schöpferenergie herstellen, andererseits war darin das Bild einer sich häutenden Schlange enthalten, das als Symbol für die Fruchtbarkeit Amuns und den Zyklus der ewigen Erneuerung des Lebens verstanden wurde. Der griechische Autor Plutarch (um 40–120 n. Chr.) nennt die Schlange »Kneph« und behauptet, die Thebaner hätten sie als höchste und einzige Gottheit verehrt. Hierin irrt Plutarch entschieden, doch die Attribute, die er der Schlange zuschreibt, leiten sich durchaus von Traditionen her, die diese Ahnenform Amuns als »nicht-gezeugt und immerwährend« beschreiben.

## Chnum und die thebanische Theogonie

Mit Chnum, dem widderköpfigen Gott des Kataraktgebiets bei Assuan, kommt im Reigen der Schöpfungsmythen ein neues, bedeutendes Element zum Tragen: Zu seinen wichtigsten Aufgaben gehört die Schöpfung des Menschen. Man glaubte, Chnum habe die menschliche Gestalt auf einer Töpferscheibe geformt. Andere Schöpfungsmythen, wie die von Heliopolis und Hermopolis, übergehen die Entstehung des Menschen, weil es ihnen nur um kosmische Ereignisse zu tun ist. Im Mythos Chnums dagegen werden der Kosmos der Götter und die Völker der Erde miteinander verknüpft. Der Widder, Chnums heiliges Kulttier und Symbol für die Fruchtbarkeit des Landes, beaufsichtigt die Höhlen des Überschwemmungsgottes Hapi im Nilkatarakt bei Assuan. Bevor die modernen Bewässerungsanlagen, die in dem Bau des großen Assuan-Staudamms gipfeln, die natürliche Herrschaft des

Nils brachen, überschwemmte der Fluß alljährlich zu einer bestimmten Zeit das Fruchtland. Beim Zurückweichen hinterließ das Wasser auf den überfluteten Feldern eine Schicht fruchtbaren Schlamms, den der Nil aus dem Sudan mitgeschwemmt hatte. Auf diesem nährstoffreichen Schlick konnten die ägyptischen Bauern Roggen und Emmerweizen, eine Vorform unseres Weizens, anbauen und bei der Ernte meistens sogar einen Getreideüberschuß erzielen. Die Überschwemmungen bedeuteten also Wohlstand, und Chnum, als deren Aufseher, galt als Wohltäter des ägyptischen Volkes. An der Südspitze der Insel Elephantine bei Assuan erstrecken sich noch heute die Überreste einer Kultstätte für Chnum als ›Herrn des Katarakts‹.

Im Tempel zu Esna in Oberägypten wurde Chnum sogar als Schöpfer aller Menschen verehrt. Abgesehen von einigen Beispielen beachtenswerter islamischer Architektur, präsentiert sich die Stadt Esna jedoch heute als schäbige urbane Zusammenballung. Die Hauptstraße, die vom Fluß zum Tempel führt, liegt etwas nördlich der alten Prozessionsstraße, die heute tief unter der modernen Stadt begraben liegt. Von der gesamten Kultstätte ist allein das hauptsächlich aus römischer Zeit stammende Hypostyl, eine überdachte Halle mit Stützpfeilern, übriggeblieben. Die Inschriften an den Wänden und Säulen sind in der bewußt komplexen Form der Hieroglyphen gehalten, wie sie die Priester-Schreiber der griechisch-römischen Periode bevorzugten. Gleichwohl sind es die Kalender-Liturgien und Hymnen von Esna, die uns die klarste Vorstellung von Chnum als Schöpfer und Gott der Töpferscheibe vermitteln.

Chnums bildnerisches Verfahren bei der Formung der menschlichen Gestalt auf der Scheibe wurde bis ins einzelne beschrieben und ist uns praktisch als anatomisch genaues Protokoll überliefert. Demnach lenkte der Gott den Strom des Blutes über die Knochen und befestigte die Haut an der Außenseite des Körpers. Im Körperinnern brachte er die Atmungsorgane an, installierte den Verdauungsapparat und zog die Wirbelsäule als Stütze ein. Besonders verantwortlich für die irdische Fruchtbarkeit, richtete er die Fortpflanzungsorgane dergestalt ein, daß sich der Geschlechtsverkehr möglichst bequem und effektiv gestaltete. Chnum beaufsichtigte die Empfängnis in der Gebärmutter und leitete die einzelnen Geburtsphasen ein. Die Hymne, die ihm zu Ehren und seinen anatomischen Fertigkeiten zum Preis am Fest der Töpferscheibe gesungen wurde, muß wie ein medizinisches Handbuch in Versen geklungen haben. Andere Zeugnisse beschreiben Chnums schöpferische Tätigkeit an der Scheibe als einen fortlaufenden Prozeß, der nicht nur die Ägypter, sondern auch alle anderen Völker, deren Muttersprache nicht das Ägyptische war, hervorbrachte. Chnum wird hier als allumfassende Schöpfergottheit gesehen, die Götter ebenso wie Menschen, Säugetiere, Vögel, Fische und Reptilien herstellt.

Die Vorstellung, Chnum habe Menschen auf der Töpferscheibe geformt, läßt sich im Tempel zu Esna auf Inschriften und Wandreliefs ägyptischer Herkunft weit zurückverfolgen. Das hat Anlaß zu der Annahme gegeben, dieses Konzept habe die Überlieferungen beeinflußt, auf die der griechische Dichter Hesiod (etwa 700 v. Chr.) zurückgriff, als er in seiner *Theogonie* wie auch in den *Werken und Tagen* von der Erschaffung der Pandora berichtete. Bei Hesiod ist es Zeus, der dem Hephaistos befiehlt, Pandora, eine Frau von bestrickender Schönheit, aus Ton zu bilden, damit sie den Menschen alle erdenklichen Übel bringe. Es ist allerdings gut möglich, daß die hesiodische Pandora einer anderen Tradition entstammt; zu offensichtlich stehen die bösen Absichten des Zeus und die menschenfreundliche Gesinnung Chnums zueinander im Gegensatz. Spekulationen über die Entstehung des Menschen mittels einer Töpferscheibe sind aus einer späteren Zeit auch im Mittleren Osten belegt. In seinen *Vierzeilern* (*Rubaijat*) beschreibt Omar Chajjam, der berühmte persische Naturwissenschaftler und Poet, beispielsweise eine Unterhaltung der ›Ton-Leute‹ in einer iranischen Töpferei, wahrscheinlich Naischapur um 1200 v. Chr., in der jeder Sprecher einer menschlichen Ur-Angst Ausdruck gibt: »Aber ein anderer sprach: ›Wahrlich, nicht vergebens ist der Stoff, aus dem ich bin, genommen von gemeiner Erde, daß der, der mich einst kunstvoll formte, gemeiner Erde mich sollte wieder anverwandeln.‹«

*Der Schöpfergott Chnum in seiner Erscheinungsform als Widder. In seinem Tempel zu Esna beschreibt der Mythos, wie Chnum den Menschen auf einer Töpferscheibe formte. Bronze, Spätzeit*

Von der allgemeinen Lobpreisung der wichtigen Rolle Chnums im Leben der Menschen, wie sie uns in Esna begegnet, wenden wir uns nun einem speziellen Auftrag zu, mit dem Amun von Theben Chnum betraute. Diese Episode, als Thebanische Theogonie bekannt, beschreibt die ›Heilige Hochzeit‹, in Wirklichkeit eine kurze sexuelle Vereinigung, des Gottes Amun mit der großen königlichen Gemahlin eines Pharao. In den thebanischen Tempeln finden wir zwei Beispiele der Theogonie: Im Tempel der Hatschepsut zu Deir el-Bahari wird von der Zeugung und Geburt dieser Königin berichtet, in der anderen Geburtslegende, um die es uns hier gehen soll, handelt es sich um Pharao Amenophis III. (1391–1353 v. Chr.).
Im thebanischen Tempel zu Luxor waren es die Zeugungskraft

und stete Erneuerung Amuns, hervorgehoben in der Bezeichnung ›Kamutef‹ oder ›Stier seiner Mutter‹, die im Mittelpunkt standen. In der Nähe der Kultstätte, die in ihrer heutigen Gestalt die Kartusche Alexanders des Großen trägt, ließ Amenophis III. ein Gebäude errichten, an dessen Wänden sich die Ergebnisse der unerschöpflichen sexuellen Potenz Amuns in einer Serie von Reliefs entfalten. Dies sollte den göttlichen Ursprung des Monarchen selbst dokumentieren. Seit der Pyramidenzeit, besonders ab 2500 v. Chr., wurde der Pharao nämlich zusätzlich zu seinem Anspruch, als frühe Manifestation des Gottes Horus zu gelten, mit dem Titel ›Sohn des Sonnengottes‹ bezeichnet. Die Sandsteinreliefs in Luxor, heute in beklagenswertem Zustand, dokumentieren die Verwandtschaft des Pharao mit dem zu diesem Zeitpunkt schon voll als Schöpfergott anerkannten Amun durch die Darstellung einer ›Heiligen Hochzeit‹.

Die Hieroglyphen machen deutlich, daß Amun – ›der sich verborgen hält‹ – die Gestalt des Pharao Thutmosis IV. (1401–1391 v. Chr.) annimmt, um besagter Königin in möglichst vertrauter und wenig furchteinflößender Gestalt entgegenzutreten. Die Abbildungen zeigen Amun jedoch in der traditionellen Ikonographie des Reichsgottes: anthropomorph, mit dem Götterbart, dessen Spitze nach oben gebogen ist, und der Krone aus zwei hohen Federn auf dem Haupt. Die erste Szene der chronologisch aufeinanderfolgenden Abbildungen zeigt Königin Mutemwia, königliche Gemahlin Thutmosis' IV., und den Gott auf einer langen Liege, deren Hieroglyphe auch als Himmel gelesen werden kann, einander gegenüber. Das läßt vermuten, daß der Ort der Vereinigung keineswegs das Schlafzimmer im Palast ist, sondern Amuns himmlische Heimstatt symbolisiert. Die sexuelle Vereinigung beider Partner wird sehr diskret angedeutet: Mutemwia und Amun tragen Leinengewänder, und nur ihre Beine befinden sich in einer stilisierten Verschränkung; mit der ausgestreckten Rechten hält Amun Mutemwia das Anch-Zeichen, Hieroglyphe des ewigen Lebens, an die Nase, auf daß sie seine virile Kraft einatme. Dieser Moment stellt den Höhepunkt dar, in dem der göttliche Samen in den Leib der Königin gelangt. Die Himmelsliege ruht auf den

*Königin Mutemwia, die Gemahlin Thutmosis' IV., empfängt von Gott Amun ihren Sohn Amenophis III. Die Göttinnen Selkis und Neith stützen das Paar. Sandsteinrelief aus dem Amun-Mut-Chons-Tempel in Luxor*

Köpfen der schützenden Skorpiongöttin Selkis und der Schöpfergöttin Neith, deren Hände den Füßen des Gottes und der Königin Halt geben.

Auf der nächsten Abbildung betritt Chnum die Szene. Amun, der sein herrschaftliches Szepter und das Anch, auch Henkelkreuz genannt, in Händen hält, nähert sich dem mit ähnlichen Insignien ausgestatteten, widderköpfigen Chnum und erteilt ihm seinen Auftrag. Nun schlägt die Stunde Chnums: Er sitzt auf einem Thron, vor ihm, auf einer stilisierten Töpferscheibe stehend, zwei gerade von ihm gefertigte Kindwesen, auf deren Häuptern seine Hände ruhen. Die eine der Figuren stellt den zukünftigen König Amenophis III. dar, die andere symbolisiert dessen ›ka‹, die ewige Lebenskraft des Pharaos. Die Göttin Hathor in ihrer Funktion als Schutzpatronin des Königtums sitzt neben der Scheibe und hält den beiden Gestalten das Anch-Zeichen entgegen. Mit Hilfe welcher Methode Chnum die beiden Figuren in den Leib der Königin einsetzt, bleibt ungewiß, aber anschließend werden wir Zeugen der Geburt des Pharaos Amenophis III. Königin Mutemwia sitzt auf einem würfelförmigen Stuhl im Zentrum einer enormen, von löwenköpfigen Wächtern beschützten Liege. Ihre Körperhaltung wie auch der Stuhl sind als eine Stilisierung der realen Gebärsituation anzusehen, in der die Kreißende über einem die Geburtsgöttin Meschenet symbolisierenden ›Gebärziegel‹ hockte. Zwei Hebammen halten Mutemwia bei den Armen; ein näherer Blick auf ihren Unterleib bleibt uns leider verwehrt, denn ein tiefer, die Details verstümmelnder Spalt durchzieht an dieser Stelle den Sandstein. Die umgebenden Reliefs deuten jedoch darauf hin, daß die Geburt Amenophis' III. und seines ›ka‹ erfolgreich vonstatten gegangen ist.

Die Thebanische Theogonie macht es schier unmöglich, dieses Ereignis als einen Akt des Mißbrauchs göttlicher Vorrechte auf seiten Amuns oder als ›göttliche List‹ auszulegen, die der Gott um einer lustvollen Nacht mit der Königin von Ägypten willen anwendet – ihre Vereinigung ist weit von den frivolen Lüsten mancher griechischer Götter entfernt. Daß der Gott-Pharao in Ägypten zum direkten Nachfahren des Königs der Götter erklärt wurde, zielte schließlich darauf ab, einen Legitimationsmythos zu konstruieren, der den Monarchen zum zweithöchsten Befehlshaber des Kosmos beförderte. Dem guten Ruf seines Ahnen tat das in keiner Weise Abbruch; und die Königin wurde in dieser höchsten, selbst dem Pharao unerreichbaren Intimität – wenngleich auch nur für einen Augenblick – zur Gemahlin des Königs der Götter erhöht. Der Manifestation des Gottes in dieser Verbindung mit Mutemwia lag also die Absicht zugrunde, den zukünftigen Regenten zu zeugen, der in seinem Namen über Ägypten herrschen würde. Hinzu kommt, daß Amuns Bestreben, den Erben des ägyptischen Throns durch die Zufuhr außerirdischer Gene gänzlich unangreifbar zu machen, eine Atmosphäre schafft, die himmelweit von den turbulenten Leidenschaften des griechischen Göttervaters Zeus entfernt ist, welche immer wieder Katastrophen heraufbeschworen.

# Der Königtum-Mythos

Die rechtmäßige Thronfolge und das Eintreten eines potentiellen Thronfolgers in das oberste Herrscheramt Ägyptens vereinigte hauptsächlich zwei Aspekte. Einerseits handelte es sich um eine rein praktisch zu regelnde Angelegenheit, die wahrscheinlich eine stabilisierende Periode der gemeinsamen Regentschaft mit dem abtretenden Herrscher einschließen konnte. Andererseits stellte die durch ihr mythologisches Urbild geheiligte Thronbesteigung ein Ereignis von kultisch-sakralem Charakter dar. Laut Herrscherdogma ist der jeweilige Pharao die irdische Verkörperung des Himmelsgottes Horus. Der Schlüssel zu einem angemessenen Verständnis des Status und der Machtbefugnisse eines unumschränkten Herrschers im alten Ägypten ist also in dem Mythos zu suchen, der die Weitergabe der Herrschaft von Osiris an dessen Sohn Horus beschreibt. Die Zauberkräfte der Isis, Schwester und Gemahlin des Osiris und Mutter des Horus, durch die eine ordnungsgemäße Thronfolge überhaupt erst zustande kommt, bilden einen wesentlichen Bestandteil dieses Mythos.
Die Zeugnisse, die es ermöglichen, ein mosaikartiges Bild des Königtum-Mythos zusammenzusetzen, sind ihrer Datierung und Form nach recht unterschiedlich. Was die Rolle des Osiris als König von Ägypten vor seinem Abstieg in die Unterwelt betrifft, habe ich vor allem die Belege in den *Pyramidentexten*, den Bannformeln auf Höflingssärgen aus dem Mittleren Reich und auf der Stele der Ahmose im Louvre herangezogen. Der Mord an Osiris und die Usurpation des Thrones durch Seth werden in den altägyptischen Quellen allerdings mit auffälliger Zurückhaltung behandelt;

die Stele des Ichernofret im Berliner Ägyptischen Museum (Nr. 1204) und ein ptolemäischer Papyrus (ebd., Nr. 3008) enthalten jedoch faszinierende Hinweise auf Isis' Trauer nach diesen Ereignissen. Der *Papyrus Chester Beatty I*, ein äußerst lebensvolles Schriftstück, das sich im Museum von Dublin befindet, diente mir als Zeugnis für die gewalttätigen, zotigen und bisweilen urkomischen Episoden des Kampfes zwischen Seth und Horus um den Thron. Die letztendliche Einsetzung von Horus zum rechtmäßigen Herrscher über Ägypten gründet sich auf die Stele des Schabako, den *Dramatischen Ramesseumspapyrus* aus dem Mittleren Reich und die Hieroglypheninschrift im Wandelgang des Tempels zu Edfu aus ptolemäischer Zeit, die ein kultisches Mysterienspiel über die Vernichtung Seths enthält. Dem Ende des Mythos, wie es den pharaonischen Quellen entnommen werden kann, habe ich eine knappe Synopse der von Plutarch (etwa 40–120 n. Chr.) verfaßten Version mit dem Titel »Über Isis und Osiris« (*De Iside et Osiride*) hinzugefügt, in der altägyptische Elemente mit hellenistischen Vorstellungen verschmolzen sind.

## Die Ermordung des Osiris

Der Schöpfungsmythos der Priesterschaft von Heliopolis mit seinen dazugehörigen kosmischen Gottheiten und die Götter und Göttinnen, die in dem Mythos vom Königtum und der rechtmäßigen Thronfolge eine Rolle spielen, sind auf raffinierte Weise miteinander verzahnt. Der Erdgott Geb und die Himmelsgöttin Nut zeugen vier Kinder: Osiris, Isis, Seth und Nephthys. Durch diese Genealogie wird der rechtmäßige Inhaber des ägyptischen Throns als Sohn des Osiris zu einem Nachkommen des Schöpfer- und Sonnengottes. Osiris ist der Erstgeborene Gebs und Nuts; seinen Geburtsort vermutete man nahe Memphis in Rosetau, der westlichen Wüstennekropole. Dieser Ort scheint besonders gut zu Osiris zu passen, da seine wichtigste Funktion die des Herrn der Unterwelt ist, und Rosetau oder ›Mund der Durchgänge‹ als symbolischer Eingang ins Jenseitsreich galt. Ein Beiname, der Osiris oft

verliehen wurde, ursprünglich aber auf eine abydische Bestattungsgottheit gemünzt war, lautete ›Chontamenti‹ oder ›Erster der Westlichen‹. Dieser Titel betont Osiris' Herrscherstatus über diejenigen, die auf den Wüstenfriedhöfen bestattet wurden und deren Seelen darauf hofften, Einlaß in die Unterwelt zu finden.
Der aus dem Neuen Reich stammende sogenannte Turiner Königskanons gibt eine Herrschaftstradition wieder, wonach Ägypten in vordynastischen Zeiten durch eine Abfolge von Göttern regiert wurde. Darunter Ptah, Re, Schu, Geb, Osiris, Seth und Horus – wobei wir hier die Fortsetzung durch Thot, Maat und die Nachfolger des Horus vernachlässigen müssen. Als ältestem Nachkommen Gebs und Nuts geht das Recht auf den ägyptischen Thron auf Osiris über. Ihm stand seine Schwester Isis als Gemahlin zur Seite. Dieses Paar stellt den göttlichen Präzedenzfall für eine eheliche Verbindung zwischen Halb- oder Vollgeschwistern innerhalb der Herrscherfamilie dar. Auf der sich im Louvre befindlichen Stele der Ahmose (etwa 1400 v. Chr., während der XVIII. Dynastie) wird der Wohlstand, den Ägypten durch Osiris' Regentschaft genoß, wortreich beschworen. Ausführlich wird dargelegt, wie Osiris alle Elemente und natürlichen Ressourcen zum Wohle und Glück Ägyptens zu lenken und regulieren wußte. Seine Macht hielt die Fluten Nuns in Schach, brachte günstige Winde aus dem Norden herbei, sorgte für das Gedeihen der Vegetation und die Vermehrung aller Tiere in einem vollkommenen Fortpflanzungszyklus. Osiris war der Sternenlenker, dem die anderen Götter großen Respekt zollten. Seine wichtigsten Kultzentren sind der oberägyptische Tempel zu Abydos und das Delta-Heiligtum von Djedu (Busiris). Krummstab, Geißel und die hohe, gefiederte Atefkrone, von der man sagte, sie durchstoße das Firmament, sind die Königsinsignien des Osiris. Wie so oft in den Erzählungen der Geschichte steht zu Beginn ein goldenes Zeitalter mit der wohltätigen Herrschaft eines gesegneten Königspaares – hier durch Isis und Osiris verkörpert.
Diese idyllische Szene findet ein abruptes und grausiges Ende, als Seth, Osiris' feindlicher Bruder, den Thron durch einen blutigen Gewaltakt an sich reißt. Laut Überlieferung wurde Seth nicht auf

natürlichem Weg geboren, sondern er selbst soll sich in Nakada, wo später seine wichtigste Kultstätte errichtet wurde, mit Gewalt aus dem Leibe seiner Mutter Nut gerissen haben. Ihm sind Gewalt und Chaos zugeordnet, doch obwohl er im Königtum-Mythos nicht gut wegkommt, sollte man nicht übersehen, daß ihm in anderen Zusammenhängen durchaus große Verehrung entgegengebracht wurde. Ohne Zweifel weisen die gegenwärtig vorhandenen archäologischen Funde Seth als den älteren der beiden Götter aus. Das ihn repräsentierende Mischwesen findet sich schon auf dem spät prädynastischen Keulenkopf des Königs Skorpion, eines Herrschers über Oberägypten (heute im Ashmolean Museum in Oxford zu besichtigen). Für Osiris dagegen gibt es keine archäologischen Zeugnisse, die seine Existenz vor der V. Dynastie (um 2465 v. Chr.) belegen. Das »Seth-Wesen« besitzt einen leicht gebogenen Schnabel oder Rüssel und auf dem Haupt zwei hörnerähnliche Ausbuchtungen. Wird Seth nicht als anthropomorph mit seinem charakteristischen Kopf auf den Schultern abgebildet, sondern erscheint als Vierfüßler, besitzt er außerdem noch einen erhobenen, gegabelten Schwanz.

Die *Pyramidentexte* enthalten quälende Hinweise darauf, daß Osiris dem tödlichen Angriff dieser Kreatur zum Opfer fiel.

Es heißt, Osiris sei am Nilufer bei Nedyet im Bezirk Abydos ›auf die Seite gefallen‹; daß es sich dabei um seine Ermordung handelt, bezeugen die bitteren Tränen, die Isis hierauf vergießt. Die Bannsprüche, mit denen Höflingssärge aus dem Mittleren Reich bemalt wurden, weisen ausnahmslos Seth als den Mörder seines Bruders aus und berichten, wie er Osiris in Gahesty angegriffen und am Fluß bei Nedyet getötet habe. Die Knappheit der erzählerischen Details enthüllt den Abscheu, den die Ägypter dem Königsmord und einer gewaltsamen Machtergreifung entgegenbrachten – offensichtlich ein Thema, bei dem man sich nicht lange aufhalten mochte. In diesem Zusammenhang ist es von historischem Interesse, daß blutige Staatsstreiche in den ersten zwei Jahrtausenden des dynastischen Ägypten eher eine Seltenheit blieben. Einige Inschriften bemühen sich sogar, Osiris' Ermordung gänzlich zu unterdrücken – obwohl die nachfolgenden Ereignisse, von denen be-

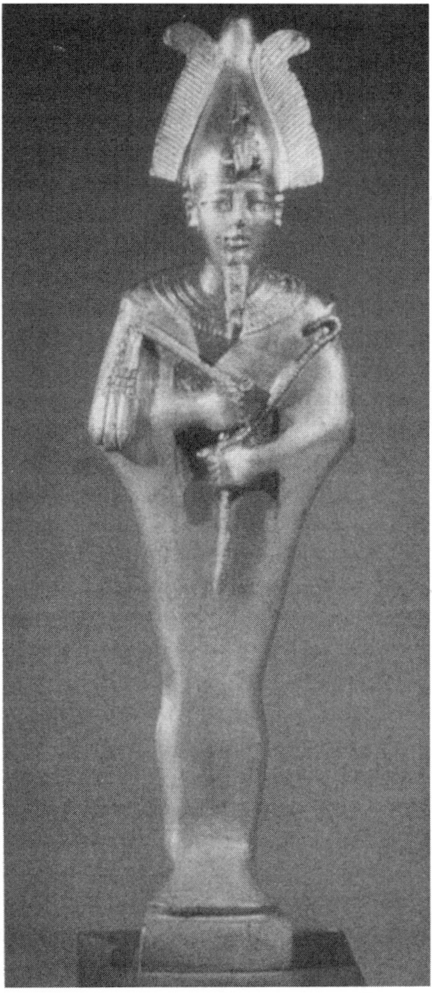

*Der Gott Osiris, der im Königtum-Mythos den Thron von Geb erbt, fällt einem Attentat Seths zum Opfer und wird zum Herrscher der Unterwelt. Seine charakteristische Atefkrone setzt sich aus Widderhörnern und Straußenfedern zusammen. Bronze, Spätzeit*

richtet wird, ohne Osiris' gewaltsamen Tod keinen Sinn ergeben. Ein Beispiel hierfür ist die Hymne auf der Stele der Ahmose, die Osiris erst als unbesiegbaren Vernichter seiner Feinde und Verderber von Verrätern vorstellt, ein wenig später im Text jedoch beschreibt, wie Isis sich auf die Suche nach Osiris' Leichnam begibt. Die wichtige Inschrift auf der Stele des Ichernofret im Berliner Museum nimmt eine ähnliche Umdeutung vor, indem das Ereignis als Triumphzug von Osiris' Gefolgschaft interpretiert wird. Diese Stele erlaubt einen Einblick in die kultischen Rituale, die Osiris zu Ehren in Abydos abgehalten wurden. Ichernofret war Beamter unter Pharao Sesostris III. (1878–1841 v. Chr.) und für die Ausrichtung des jährlichen Osiris-Festes und die Schmückung des heiligen Götterbildes verantwortlich. Während der Zeremonien wurde die Statue des Osiris, angetan mit dem Königsornat und mit Lapislazuli, Türkis und Gold geschmückt, in der ›Neschmet-Barke‹ umhergetragen. In dieser Prozession vertrat Wepwawet, eine alte hundeartige Gottheit, als dessen Recke den göttlichen Osiris. Die folgende Szene unterdrückt Osiris' Ermordung, indem die ›Neschmet-Barke‹ zwar einem symbolischen Angriff ausgesetzt wird, es jedoch die Feinde des Osiris sind, die im Kampf unterliegen und am Flußufer bei Nedyet getötet werden. Entgegen jeder Logik besteht die nächste Phase der Zeremonie in der Überführung der Bestattungsbarke des Osiris nach Peker in der Wüste bei Abydos, wo man seine Grabstätte vermutete. Übrigens liegt diese bei den Wüstenfelsen in der von den Arabern als ›Umm el-Ga'ab‹ oder ›Mutter der Krüge‹ bezeichneten Gegend; der Name leitet sich von den unzähligen Tongefäßen her, die an dieser frühen dynastischen Gedenkstätte, welche später eine Umdeutung zum Grab des Osiris erfuhr, als Opfergaben dargebracht wurden.

Durch den Tod des Osiris wird Seth, gemeinsam mit seiner Schwester-Gattin Nephthys, zum Regenten über Ägypten. Nephthys jedoch solidarisiert sich mit ihrer Schwester Isis, die über den Tod ihres Gemahls Osiris verzweifelt ist. Isis plant, ihre mächtigen Zauberkräfte zu nutzen, um den Leichnam ihres Gatten zu finden und ihn soweit wiederzubeleben, daß die Zeugung eines

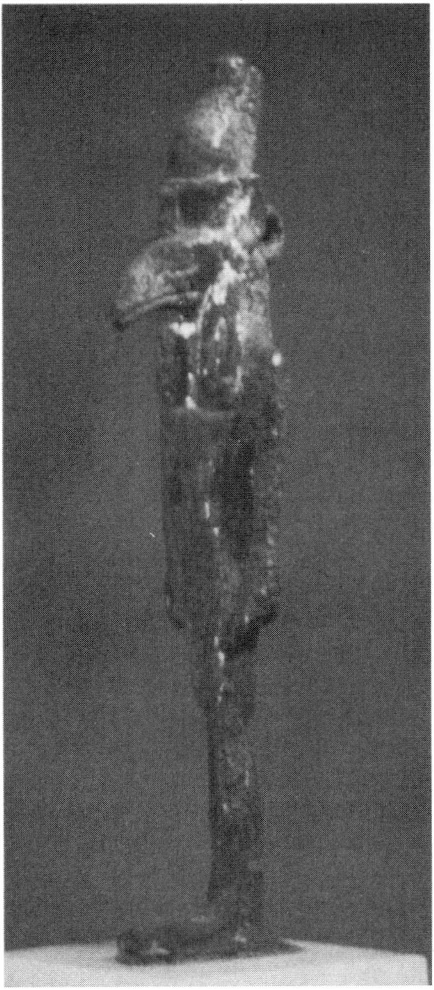

*Seth, der Gott des Chaos und im Königtum-Mythos Gegner von Osiris und Horus. Außerhalb dieses Mythos wurde Seth als uralte Gottheit verehrt und genoß hohes Ansehen. Auf dem Kopf seiner tierischen Erscheinungsform trägt er hier die Doppelkrone der Pharaonen. Bronze, Spätzeit*

gemeinsamen Sohnes gelingt. Dieser Sohn soll das monströse Verbrechen des Königsmordes und der Usurpation des Thrones rächen. Nimmermüde durchkämmen Isis und Nephthys, den toten Osiris beklagend, ganz Ägypten, bis der Leichnam schließlich bei Abydos aufgefunden wird. Neben Abydos nehmen auch andere Kultzentren in Anspruch, Fundort des Leichnams – oder einzelner Teile – gewesen zu sein. So etwa Abaton auf der Insel Philae, südlich des ersten Nilkataraktes bei Assuan, oder Herakleopolis, wo die Bestattung unter dem ›Naretbaum‹ abgehalten worden sein soll. Die vollständigste Bezeugung der nächsten Episode des Mythos findet sich jedoch in Abydos.

Deshalb wollen wir uns nun dem Schrein des Gottes Sokar im Tempel des Pharaos Sethos I. (1306–1290) zu Abydos zuwenden. Die Berühmtheit dieses Tempels beruht auf den wundervollen Reliefs, die überhaupt zu den schönsten zählen, die uns aus dem alten Ägypten erhalten geblieben sind. Vor allem gilt dies für die sieben Schreine und die inneren Kammern, die Osiris, Isis und Horus geweiht sind. Leider ist das Heiligtum des Sokar stark beschädigt; zumindest zwei Abbildungen stellen jedoch den Vorgang der Schwängerung der Isis mit Osiris' Samen dar. Die Inschrift auf der Stele der Ahmose gibt folgende Version wieder: Nachdem Isis den Leichnam ihres Gatten entdeckt hat, verwandelt sie sich in ein Sperberweibchen, und über ihrem Gatten schwebend, fächelt sie ihm mit ihrem Schwingenschlag den Odem des Lebens zu. Dieser lebensspendende Hauch erweckt Osiris soweit, daß die Zeugung gelingt. Auf den Mauern des Tempels zu Abydos ist dieser Fortpflanzungsakt ganz ähnlich dargestellt; die Zauberkraft der Isis sowie ihre Verwandlung in ein Sperberweibchen, das den Samen des Osiris empfängt, spielen auch dort eine entscheidende Rolle. Eine der Abbildungen zeigt Isis und, antizipierend, Horus am Kopf- bzw. Fußende des löwenköpfigen Balsamierungstischs. Osiris, dessen Verwesung durch die zauberische Macht der Isis außer Kraft gesetzt ist, führt einen Arm zum Kopf, den Isis hält, während er mit der anderen Hand seinen Phallus stimuliert, um zum Orgasmus zu kommen. Die nächste Abbildung folgt chronologisch und zeigt Isis in Gestalt eines Sperberweibchens, das sich auf

Osiris' Phallus herabpreßt. Mit der erfolgreichen Schwängerung der Isis erfüllt sich Osiris' Part innerhalb des Königtum-Mythos, und er steigt in die Unterwelt oder Duat hinab, wo er als König des Jenseits regiert. Nicht die irdische Herrschaft des Osiris machte ihn für die Ägypter so bedeutend, vielmehr war es das Wunder seiner Auferstehung von den Toten, mit dem sich die Hoffnung auf ein ewiges Fortleben nach dem Tode in der Unterwelt verband. Folgerichtig trägt er in seiner Rolle als Gott der Unterwelt unter anderem den Titel ›Herrscher der Lebenden‹. Wie wir gesehen haben, ist es die Göttin Isis, die in dieser Legende zur Protagonistin wird – und schließlich ist das Symbol des Throns ihre Namenshieroglyphe.

## Horus' Kampf und Sieg

Das Kind, das in diesem dramatischen Zeugungsakt entsteht, ist der Falkengott Horus. Sein Name bedeutet in etwa ›der Ferne‹ und ist dem Bild des hoch am Himmel schwebenden Falken entlehnt. Horus ist eine komplexe Gottheit, in der verschiedene, vom Königtum-Mythos unabhängige Traditionen zusammenschießen – so etwa auch die Vorstellung von dem Gott als schutzbedürftigem Kind oder als Himmelsfalke, dessen Augen Sonne und Mond darstellen. Die verschiedenen Elemente sind jedoch kunstvoll zu einem Gewebe aus unterschiedlichen Überlieferungssträngen verknüpft, das in seiner Gesamtheit doch den einen Gott Horus darstellt, mit dem sich die Herrscher Ägyptens gleichsetzten.

Chemmis, im Nordosten des Deltas gelegen, galt als Horus' Geburtsort. Um ihn vor Seth zu schützen, verbirgt ihn Isis in den einstmals ausgedehnten Papyrussümpfen. In seiner Jugend trägt er den Namen Har-pa-chered oder ›Horus das Kind‹, bei den Griechen als Harpokrates bekannt. Er ist verletzlich und zu seinem Schutz auf die Zauberkräfte seiner Mutter Isis angewiesen (siehe auch das Kapitel »Isis ›Groß an Zauberkraft‹«). Mit dem Erreichen des Erwachsenenalters wird er zu Har-wer oder ›Horus der Ältere‹ und ist nun bereit für den Kampf um sein rechtmäßiges

*Horus, der Falke, Gott des Königtums.*
*Bronze, ptolemäische Periode*

Erbe, den Thron Ägyptens. Wie wir sehen werden, ist die Hilfe der Göttin Isis für Horus' Sieg jedoch weiterhin von größter Bedeutung.

Horus bringt seinen Anspruch auf den Thron vor ein Tribunal, dem die wichtigsten Götter unter dem Vorsitz Res, des Sonnengottes von Heliopolis, angehören. Der Zeitpunkt für dieses Vorhaben ist günstig gewählt, denn der Weisheitsgott Thot ist gerade im Begriff, dem Sonnengott das ›Heilige Auge‹, Symbol der kosmischen Ordnung, Gerechtigkeit und Königswürde, zu überreichen. Der Luftgott Schu befürwortet eine sofortige Anerkennung von Horus' Anspruch, und Thot fügt hinzu, daß eine Entscheidung zugunsten von Horus ›millionenfach gerecht‹ sei. In freudiger Erregung will Isis schon den Nordwind als Überbringer dieser guten Nachricht zu Osiris in die Unterwelt schicken. Wie sich jedoch erweist, haben die Götter voreilig gehandelt, denn Re bedeu-

tet ihnen, daß er ihre Entscheidung noch nicht für gültig erklärt habe. Er mißbilligt ihr hartnäckiges Festhalten an dem Argument, daß sich schon der königliche Namensring (die Kartusche, in die die Hieroglyphen von zwei der fünf königlichen Namen eingetragen wurden) und ebenso die Weiße Krone Oberägyptens in Horus' Besitz befinden. Seth schlägt vor, die Angelegenheit außerhalb des Gerichtssaales mit Horus in einem Kampf Mann gegen Mann zu regeln. Thot bemüht sich, die Ordnung einer gerichtlichen Verhandlung wenigstens annähernd wiederherzustellen, und hebt hervor, daß Horus als Sohn des Osiris nur sein gutes Recht einfordere. Der Sonnengott läßt sich hiervon jedoch nicht im geringsten beeindrucken, da er ganz offensichtlich Seth, der ›groß ist an Stärke‹, Horus vorzieht.
Die Verhandlung gerät in eine Sackgasse, und achtzig Jahre lang geschieht nichts. Um diesen Zustand zu beenden, beschließen die Götter, sich mit einem Brief an die große Schöpfergöttin Neith zu wenden. Dieser Brief wird im Namen Res abgesandt und enthält die in ehrerbietigem Ton vorgebrachte Bitte um den Rat der Göttin. Die Antwort Neiths fällt knapp und ungnädig aus und betont die klare Beweislage zugunsten des Horus, dem das Königsamt des Osiris durch Erbfolge zustehe. Sie droht sogar, daß »der Himmel« angesichts eines derartigen Verstoßes gegen die Gerechtigkeit »auf die Erde herabfallen« werde. Neith zeigt sich dabei als durchaus weitsichtige Richterin; denn sie erkennt, daß man Seth zumindest einen Trostpreis zuerkennen müsse, und drängt Re, ihm seine beiden Töchter Anat und Astarte zur Frau zu geben. Diese beiden aus dem Mittleren Osten stammenden Göttinnen waren im Mittleren Reich, ebenso wie die syrischen Götter Baal und Reshep, in das ägyptische Pantheon aufgenommen worden. Da Seth mit fremden Kriegsgöttern in Verbindung gebracht wurde, erscheint es durchaus angebracht, ihm diese beiden Göttinnen zum Geschenk zu machen. Alle Götter des Tribunals stimmen dem Vorschlag Neiths zu – bis auf Re. Diesem erscheint der Ratschluß völlig unannehmbar, und sein Ärger richtet sich gegen Horus, den er mit üblen Beschimpfungen überschüttet. Er bezeichnet ihn als Schwächling und Bürschchen mit Mundgeruch (da er noch

Milch trinke), der keinesfalls in der Lage sei, die notwendige Amtsautorität aufzubringen. Die anderen Götter des Tribunals sind über den Ausbruch Res verärgert, und ein minderer Gott, Baba, besitzt sogar die Dreistigkeit, Re ins Gesicht zu sagen: »Dein Schrein ist leer«. Das will sagen, daß niemand Re so recht ernst nimmt. Auf diese Anmaßung reagiert der oberste Gott außerordentlich empfindlich, verläßt auf der Stelle das Tribunal und zieht sich schmollend in seine Gemächer zurück. Diese verfahrene Situation wird jedoch von Hathor, ›Herrin der südlichen Sykomore‹ und Göttin der Freude und Liebe, einer weiteren Tochter Res, gerettet. Hathor begibt sich zu den Gemächern Res, stellt sich vor ihm auf, hebt ihr Kleid und entblößt ihre Scham. Aus irgendeinem Grund bringt diese Aktion Re zum Lachen; er kehrt in den Gerichtssaal zurück und befiehlt Horus und Seth, ihren Fall vorzubringen.
Seth, der in diesem Papyrus als Großmaul und Angeber dargestellt wird, behauptet, ihm stünde der Thron aufgrund seiner unbesiegbaren Stärke zu. Nur er sei in der Lage, Apophis, den Erzfeind des Sonnengottes auf seiner nächtlichen Reise durch die Unterwelt, abzuwehren. Dieses Argument wird von dem Tribunal zunächst positiv aufgenommen; denn Apophis stellt eine sehr reale Bedrohung für die Existenz des Kosmos dar. Doch Thot und Onuris, ein Kriegsgott, dessen Ursprünge nahe Abydos zu suchen sind, bezweifeln, daß es rechtens sei, das Erbe an den Bruder fallen zu lassen, wenn der Sohn in der Lage ist, dem Vater nachzufolgen. Dagegen steht, daß das Amt eigentlich Seth als dem Älteren der beiden Streitenden zukommt. (An dieser Stelle des Papyrus erscheinen Seth und Horus als Brüder; dies ist eine unabhängige Überlieferung, die sich hier mit dem ›Onkel-Neffe-Strang‹ verbindet). Jetzt ist es an Isis, langsam die Geduld zu verlieren und sich zugunsten von Horus einzuschalten. Es gelingt ihr auch, das Tribunal auf ihre Seite zu ziehen. Seth erzürnt dies maßlos, und er droht der Neunheit, täglich einen Gott mit seinem zwei Tonnen schweren Szepter zu erschlagen. Er schwört im Namen Res, kein Gericht anzuerkennen, dem Isis angehört. Dies hat zur Folge, daß Re den Gerichtshof auf eine Insel verlegt und dem Fährmann

*Horus und Seth. Kalksteinrelief vom Thron einer Sitzstatue des Königs Sesostris I. in Lischt*

Nemty gebietet, kein der Isis auch nur annähernd ähnelndes weibliches Wesen überzusetzen.
Bei aller Vorsorge unterschätzt Re jedoch die Schlauheit und Zauberkraft der Isis. Diese nähert sich Nemty in der Gestalt eines alten Weibes mit einer Schüssel Mehl unter dem Arm und einem goldenen Siegelring am Finger. Sie bittet den Fährmann, sie hinüberzurudern, damit sie das Mehl einem hungrigen jungen Hirten bringen könne, der schon seit fünf Tagen seine Herde drüben hüte. Nemty entgegnet ihr, daß ihm nicht erlaubt sei, ein weibliches Wesen auf die Insel überzusetzen, muß indessen zugeben, daß das alte Weiblein wohl nicht die Göttin Isis sein könne. Nun beginnt, ganz realistisch und wie man es auch im heutigen Ägypten erleben kann, das Schachern um den Preis der Überfahrt. Nemty verschmäht den süßen Kuchen, den Isis ihm anbietet, erklärt sich jedoch schließlich bereit, Isis im Tausch gegen den goldenen Siegelring überzusetzen, den er ordnungsgemäß erhält.
Auf der Insel angekommen, beobachtet Isis, wie die anderen Götter die Verhandlung unterbrechen, um ihr Brot zu essen. Mit Hilfe einer Zauberformel verwandelt sie sich in eine schöne junge Frau. Seth wird auf sie aufmerksam, und augenblicklich erfüllt ihn brennendes Verlangen nach ihr. Er nähert sich der verwandelten Isis und stellt sich ihr vor. Mit großem Geschick gelingt es Isis nun, Seth zu einem Schuldeingeständnis zu bewegen. Sie gibt sich für die Witwe eines Hirten aus, deren Sohn von einem Fremden bedroht wird, der ihm die väterliche Herde nehmen und ihn aus seinem Vaterhaus vertreiben will. Sie fleht Seth an, ihren Sohn zu beschützen. Angesichts der Ungerechtigkeiten, die der schönen Frau und ihrem Sohn widerfahren sind, legt Seth die entsprechende Empörung an den Tag. Auf diese Reaktion hat Isis gehofft, denn in der Analogie verbirgt sich natürlich der Streit um das Erbe des Osiris. Sicherheitshalber verwandelt sich Isis in ein Sperberweibchen und fliegt hoch hinauf in die Krone einer Akazie. Von dort herab ruft sie Seth zu, daß ihn sein eigenes Urteil richte. Erstaunlicherweise bricht Seth hierauf in Tränen aus und begibt sich zu Re, um sich über Isis' List zu beklagen. Re jedoch bleibt nichts anderes übrig, als Seth zu bestätigen, daß er sich mit seiner Selbstverurtei-

lung nicht gerade einen Gefallen getan hat. Der genasführte Seth zeigt sich nun rachsüchtig und fordert, daß der Fährmann Nemty vor dem Tribunal zur Verantwortung gezogen wird. Nemty wird des Ungehorsams für schuldig befunden; zur Strafe werden ihm die Zehen abgeschnitten. Anschließend verfügt sich das Gericht auf einen Berg im Westen der Wüste und spricht den Thron Ägyptens schließlich Horus zu. Die tatsächliche Umsetzung dieses Richtspruches wird jedoch von dem erfolgreichen Einspruch Seths verhindert, der Horus neuerlich zu einem Wettstreit herausfordert.

Diese Herausforderung bildet den Ausgangspunkt für eine ganze Reihe von Episoden, die darauf abzielen, Seth zu diskreditieren. Die Idee, die der ersten zugrunde liegt, erscheint beinahe lächerlich. Seth schlägt vor, sie sollten sich in Nilpferde verwandeln, in den Wassern des Nil untertauchen und drei Monate dort verharren. Wer vor Ablauf dieser Frist auftauche, habe sein Anrecht auf den Thron verwirkt. Horus nimmt die Herausforderung an, und beide tauchen als Nilpferde in den Fluten unter. Doch plötzlich regt sich in Isis der Verdacht, Seth beabsichtige, ihren Sohn unter Wasser zu töten, und sie beschließt, ihn zu beseitigen. Also fertigt sie eine Kupferharpune an, die sie dort ins Wasser schleudert, wo beide untergetaucht waren. Ihr erster Wurf geht fehl und trifft Horus. Als Horus sich begreiflicherweise darüber beschwert, entfernt sie die Harpune durch Zauberkraft aus seinem Leib. Der zweite Wurf trifft ins Schwarze. Der verwundete Seth bittet Isis um Schonung und beruft sich dabei auf die Blutsverwandtschaft zwischen ihr und ihm selbst. Isis läßt sich durch sein Flehen erweichen und entfernt die Harpune wiederum durch Zauber aus seinem Leib.

Die Fortsetzung dieser Episode wirkt recht bizarr. Horus, der wutentbrannt über die Schonung Seths aus dem Wasser auftaucht, schlägt Isis das Haupt ab und versteckt es in den Bergen der Wüste. Der kopflose Leib der Isis verwandelt sich in eine Statue aus Feuerstein. Re, der sich über dieses merkwürdige kopflose Abbild verwundert, erkundigt sich bei Thot, wen es darstelle. Thot berichtet Re von dem Vorfall, worauf Re sehr zornig wird und schwört, Horus zu bestrafen. Er läßt ihn in der Wüste suchen (irgendwann, der Papyrus läßt den genauen Zeitpunkt unerwähnt, erhält Isis ihren Kopf zurück). In einer Oase in der westlichen Wüste entdeckt Seth den unter einem Baum ruhenden Horus. Er stürzt sich auf ihn, reißt ihm die Augen heraus und vergräbt sie im Sand, wo sie sich sogleich in Lotosblumen verwandeln. Seth ist fest davon überzeugt, er habe seinen Gegner diesmal endgültig vernichtet, und leugnet bei seiner Rückkehr vor Re, Horus gefunden zu haben. Indessen entdeckt Hathor den verwundeten Horus und benetzt seine Augenhöhlen mit Gazellenmilch – sogleich ist Horus' Augenlicht wieder völlig hergestellt. Als Re von diesen Ereignissen erfährt, verliert auch er die Geduld und zitiert Horus und Seth zu sich. Er befiehlt ihnen, ihre Streitigkeiten endlich einzustellen, da sie inzwischen allen damit gründlich auf die Nerven gehen.

Der Obergauner Seth folgt dem Versöhnungsgebot indessen nur zum Schein und lädt Horus zu einem Festgelage in sein Haus. Spät in der Nacht versucht er einen homosexuellen Übergriff auf Horus. Doch dieser fälscht die Stoßrichtung der Attacke ab, ohne daß Seth es bemerkt, und fängt dessen Samen zwischen seinen Schenkeln mit der Hand auf. Am folgenden Tag erzählt Horus Isis von diesem Vorkommnis. Isis ist entsetzt, als Horus ihr seine Hand mit dem Samen Seths entgegenstreckt. Offenbar hält sie die Hand ihres Sohnes nun für unrein, denn sie schneidet sie ab und schleudert sie weit in die Sümpfe hinaus. Dank ihrer Zauberkraft bekommt Horus eine neue Hand. Nun schmiedet Isis einen Plan, bei dem sich die List Seths gegen ihn selbst wenden soll. Mit einer Salbe stimuliert Isis Horus' Phallus und fängt seinen Samen in einem Gefäß auf. Sie geht in den Garten und verteilt ihn auf dem Salat, den Lieblingspflanzen Seths. Bald darauf erscheint Seth auch wirklich im Garten und verspeist die Pflanzen. Seths Ziel ist es indessen, Horus vor den anderen Göttern lächerlich zu machen, indem er vor dem Tribunal verkündet, er habe Horus homosexuell dominiert. Als die Götter dies vernehmen, spucken sie zum Zeichen ihrer Verachtung vor Horus aus. Horus hingegen lacht und bezichtigt Seth der Lüge; zum Beweis schlägt er vor, daß man seinen und Seths Samen aufrufen solle, um festzustellen, wo er sich eigentlich jeweils befinde. Thot, einen Arm um Horus gelegt, befiehlt dem Samen Seths, sich zu zeigen. Das geschieht auch, wider Erwarten kommt Seths Samen jedoch nicht aus Horus' Körper hervor, sondern steigt aus den Wassern der Sümpfe. Nun ruft Thot, der Seths Arm ergriffen hat, Horus' Samen auf – und dieser entsteigt als goldene Sonnenscheibe dem Haupte Seths. Aus dieser Episode geht Horus als eindeutiger Sieger und Seth als der Gedemütigte hervor.

Seth gibt jedoch immer noch nicht auf. Anstatt seine Niederlage anzuerkennen, schlägt er einen aberwitzigen Wettstreit vor, der geradezu ein Musterbeispiel sinnloser Energievergeudung darstellt. Er verlangt, daß die Rivalen Schiffe aus Stein bauen und mit ihnen ein Wettrennen gegeneinander fahren sollen. Horus bedient sich einer List und fertigt ein Boot aus Kiefernholz an, das sorgfältig mit Kalk bestrichen wird, um ihm das Aussehen von Stein zu verleihen. Seth sieht, wie dieses Boot zu Wasser gelassen wird, schneidet sich die Spitze eines Berges herunter und fertigt daraus ein 70 m langes Boot. Natürlich sinkt sein Boot – und das vor dem versammelten Göttertribunal. In rasendem Zorn verwandelt Seth sich in ein Nilpferd und zerschmettert Horus' Boot. Hierauf greift Horus zur Waffe, doch die Götter hindern ihn daran, Seth zu töten. Tief enttäuscht segelt Horus nach Sais zur Kultstätte der Göttin Neith und beklagt sich bei ihr, daß ihm trotz der vielen zu seinen Gunsten ergangenen Urteile sein rechtmäßiges Erbe immer noch vorenthalten wird.

Unterdessen gelingt es Thot, Re davon zu überzeugen, einen Brief an Osiris in die Unterwelt zu senden; in diesem Brief wird Osiris mit der vollen, seine Macht verherrlichenden Königstitulatur angesprochen. In seiner Antwort streicht Osiris seine eigene Rolle als Ernährer der Götter heraus, der ihre Kräfte mit Emmerweizen und Gerste speise. Man solle seinen Sohn also nicht um das betrügen, was ihm zustehe. Re ist empört über diese verdeckte Drohung und behauptet, die Götter hätten seit jeher Emmerweizen und Gerste gehabt – ganz unabhängig von Osiris. Als Erwiderung folgt eine offene Drohung aus der Unterwelt: Osiris verkündet, er sei Herr über blutrünstige Schergen, die weder Gott noch Göttin fürchteten und nur zu bereitwillig alle Übeltäter aufstöbern und ihm deren Herzen überbringen würden. Hierzu kommt, daß letztendlich alle, die Sterne am Himmel ebenso wie die Götter und Menschen, nach der Vollendung ihres Laufs am westlichen Horizont hinabsteigen, um in Osiris' Totenreich einzugehen. Die nüchterne Betrachtung dieser Gegebenheiten veranlaßt die Götter endlich, die Forderung des Horus anzuerkennen und ihn in das Amt seines Vaters einzusetzen. Seth hat noch eine letzte Demütigung hinzunehmen – als Isis' Gefangener wird er vor das Tribunal geführt, wo er seinen endgültigen Verzicht auf den Thron Ägyptens erklären muß. Re, der Seth immer noch wohlgesonnen ist, erklärt ihn zu seinem Begleiter auf seiner Himmelsreise und verkündet, Seths Stimme werde als Donner vom Firmament herabrollen.

## Das Drama von Edfu

Dem *Papyrus Chester Beatty I* zufolge bleibt Seth, obgleich Horus' Anspruch auf den Thron Ägyptens als rechtmäßig anerkannt wird, weiterhin ein Schützling des Sonnengottes Re. Betrachten wir dagegen die Inschrift in der wichtigsten Kultstätte des Horus, seinem Tempel zu Edfu in Oberägypten, läßt sich zwar für Horus das gleiche positive Ergebnis erkennen, für Seth jedoch endet der Kampf hier mit seiner totalen Auslöschung. Es gehört zu der Tradition von Edfu, daß die physische Vernichtung Seths, die den Mittelpunkt des jährlich zum Siegesfest aufgeführten Kultspiels bildete, mit großer Anschaulichkeit dargestellt wurde. Sowohl in den Hieroglyphen als auch in den Vignetten an den Wänden des Tempels finden sich die Grundzüge des Dramas übermittelt. Die Kultstätte, wie wir sie heute kennen, stammt aus ptolemäischer Zeit, der Tempel wurde jedoch auf älteren Fundamenten errichtet. Mit der überlieferten Form des Kultspiels verhält es sich ähnlich; obgleich die Zeugnisse aus der Regierungszeit Ptolemaios' IX. (etwa 110 v. Chr.) stammen, gehen seine Ursprünge wesentlich

*Wandrelief aus dem Kultspiel; dargestellt wird der Triumph des Gottes Horus über den Gott Seth in Nilpferdgestalt. Äußerer Wandelgang des Tempels zu Edfu. Ptolemäische Periode*

weiter zurück, wahrscheinlich existierte bereits im Neuen Reich ein Prototyp dieses Stücks.
In dem Stück erscheint Seth als Nilpferd, das im weiteren Verlauf der Handlung mit Harpunen erlegt wird. Die Sieger sind der König und Horus, der von Isis angefeuert wird. Das Nilpferdspießen galt als uraltes königliches Ritual, das uns durch Abdrücke von Roll- oder Zylindersiegeln schon aus der ersten Dynastie (etwa 3000–2770) bekannt ist. In Edfu benutzte man zehn Harpunen, von denen jede einen anderen Körperteil des Flußpferdes durchbohrte. Für das Fest wird man ein künstliches Nilpferd angefertigt haben, das als ›Bösewicht‹ des Spiels fungierte. In den Vignetten wird das Tier, seinen realen Körpermaßen nicht entsprechend, als sehr klein dargestellt, damit es im Fall einer magischen Belebung der Wandreliefs ohne Schaden gefangen und eingesperrt werden konnte. Die grausame und vollständige Vernichtung Seths durch die Harpunen des Horus ist in den Vignetten und Hieroglyphen in allen Einzelheiten festgehalten:

| *Harpune* | *verwundeter Körperteil Seths* |
|---|---|
| Erste | Schnauze – abgetrennte Nüstern |
| Zweite | Stirn |
| Dritte | Nacken |
| Vierte | Hinterkopf |
| Fünfte | Rippen |
| Sechste | Rückgrat |
| Siebte | Hoden |
| Achte | Oberschenkel |
| Neunte | Beine |
| Zehnte | Hachsen |

Den unwiderruflichen Triumph über Seth symbolisiert die Darstellung, wie Horus, auf dem Rücken des Seth-Nilpferds reitend, mit einem Spieß auf dessen Haupt einsticht; Horus trägt hier die Doppelkrone von Ober- und Unterägypten. In dieser Version ist es wohl Isis' ungebremste Aggression gegen Seth, die besonders ins Auge fällt. Im Gegensatz zu der Isis des Papyrus zeigt sie in Edfu beim Kampf um den Thron mit ihrem Bruder nicht das geringste Mitleid. Sie ist es auch, die bei der Zerstückelung des Nilpferds darauf besteht, daß man die Gliedmaßen an verschiedene Gottheiten verteilt, den Katzen die Knochen vorwirft und das Fett den Würmern zum Fraß überläßt. Das abschließende Ritual – mit heiligem Ernst zerteilte und verspeiste man einen Kloß aus Nilpferdfleisch – besiegelt die endgültige Auslöschung Seths.

## Das rituelle Königtum-Kultspiel

Um unseren Überblick über die pharaonischen Quellen zum Königtum-Dogma abzuschließen, wollen wir noch einen Blick auf zwei Dokumente werfen, in denen ebenfalls rituelle Dramen enthalten sind, die wohl anläßlich von Tempel- oder Staatszeremonien zur Aufführung kamen. Sie unterscheiden sich insofern von dem Edfu-Drama, als ihnen ein universaleres Konzept zugrunde liegt und weniger an einer bildlichen Ausgestaltung der Demütigung und Vernichtung Seths gelegen scheint. Die Inschrift des ersten befindet sich auf der Stele des Schabako, unserer Informationsquelle für den Schöpfungsmythos von Memphis.
In einem Textausschnitt dieses Steins wird die Verhandlung über Seth und Horus in Form eines Dialogs zwischen den Göttern und mit den erklärenden Anmerkungen des aufzeichnenden Schreibers wiedergegeben. Vorsitzender des göttlichen Gerichtshofs ist hier der Erdgott Geb. Seine erste Entscheidung zielt auf einen versöhnlichen Vergleich zwischen den beiden Klägern ab; Seth soll über Oberägypten herrschen, da sich dort sein Geburtsort Su befindet, während Horus Unterägypten erhält, wo Osiris einer anderen Überlieferung zufolge im Nil ertrank. »Geb sprach zu Horus und Seth: ›Ich habe euch getrennt.‹« Geb besinnt sich indessen eines andern und beschließt, daß Horus (Anmerkung des Schreibers an dieser Stelle: »Er ist der Sohn seines Sohnes, des Erstgeborenen«) ein größerer Teil des Landes zustehe als Seth, und spricht Horus ganz Ägypten zu. Hierauf wird Horus in Memphis als ›Vereiniger seines Landes‹ gefeiert und mit der memphitischen Urgottheit

›Tatenen, südlich der Mauer, Herr der Ewigkeit‹ gleichgesetzt. Letztlich kommt es hier vor allem auf Horus' Rolle als Reichseiniger an, der nun sowohl die ober- als auch die unterägyptische Krone trägt.

Wir wollen uns nun dem *Dramatischen Ramesseumspapyrus* zuwenden, der aus dem Mittleren Reich datiert und 1895 in Theben entdeckt wurde (heute im Besitz des Britischen Museums). Dieser Papyrus ist ein ausführliches und kunstvoll ausgeführtes Dokument, das 138 Textspalten enthält, die von einer den unteren Rand säumenden Serie von über dreißig Vignetten ergänzt werden. Zusammengestellt wurde dieses Werk ursprünglich anläßlich des Jubiläumsfests für Pharao Sesostris I. (1971–1926 v. Chr.); das uns vorliegende Dokument datiert jedoch aus der Regierungszeit Amenemhets III., also vier Pharaonen später (1844–1797 v. Chr.). Der Aufbau der 46 Einzelszenen dieses Dramas folgt demselben Bauplan: Zuerst die Darstellung der Handlung, dann deren mythologische Auslegung, an die sich ein Gespräch der Götter mit dem Pharao in der Rolle des Horus anschließt; zuletzt werden die Bühnenanweisungen formuliert. Wenn wir die Elemente isolieren wollen, die sich auf die Weitergabe des Herrscheramtes beziehen, so müssen wir mit dem ›Heiligen Auge‹ beginnen. Es ist das mächtigste Amulettsymbol im alten Ägypten und befindet sich zu Beginn in Horus' Besitz. Die Episode, die den Verlust von Horus' Augenlicht durch einen gewaltsamen Übergriff Seths behandelt, findet nur eine beschönigende Erwähnung. Dann gibt es eine Szene, in der die Rinder bestraft werden, die Osiris in seiner Rolle als Getreidegott zertreten. Um das Getreide zu dreschen, zerstampfen die Ochsen den Roggen, was Horus ihnen mit den folgenden Worten untersagt: »Schlagt diesen nicht, meinen Vater.« Damit Brot gebacken werden kann, müssen die Ochsen mit ihrer Tätigkeit dennoch fortfahren; als Anhänger Seths ernten sie hierfür jedoch Prügel. Das Drama enthält außerdem noch verschiedene Schaukämpfe zwischen Horus und Seth, sowie Gebs Plädoyer für eine Beendigung der Streitigkeiten.

Bei einer neuerlichen Betrachtung der königlichen Insignien fallen einige bemerkenswerte Aspekte ins Auge, die in dem Mythos bislang nicht erklärt wurden. Daß der Herrscher beispielsweise zwei Szepter in seinem Besitz hat, wird nun als Einverleibung der Kraft des feindlichen Seth in die Person des Königs gedeutet. Diese Interpretation bezieht sich auf die Legende, daß Seth im Gegenzug zu der Augenverletzung des Horus an den Hoden verwundet worden sei. Thot fordert Horus auf, sich die Macht seines Todfeindes anzueignen, indem er die beiden Szepter, die Seths Hoden repräsentieren, an sich nimmt. In diesem Drama trägt der König außerdem einen rituellen Brustharnisch, Keni genannt. Dieser verkörpert die ewige Lebenskraft des Osiris, und indem der Monarch den Keni um Brust und Rücken gürtet, vollzieht er die symbolische Vereinigung zwischen dem ermordeten Osiris und seinem rächenden Sohn Horus.

## Die Version Plutarchs

Der griechische Autor Plutarch (um 40 v. – um 120 n. Chr.) ist der Verfasser des Werkes *Peri Isidos kai Osidiros*, »Über Isis und Osiris«. Wahrscheinlich erst kurz vor seinem Tod verfaßt, widmete er es Klea, einer Priesterin zu Delphi, die als Verehrerin der Göttin Isis gilt. Plutarchs Werk besteht aus einer reichhaltigen Sammlung und Verschmelzung von überkommenen ägyptischen Überlieferungen, wie wir sie aus Schriften des Manetho, eines Priester-Historikers unter den ersten beiden Ptolemaioi, oder von Hekataios von Abdera (300 v. Chr.) kennen, und Spekulationen griechischen Ursprungs, wie sie von Pythagoras (um 530 v. Chr.), Platon (429–347 v. Chr.) oder den Stoikern (um 300 v. Chr.) und Gnostikern (um 200 n. Chr.) geäußert wurden. Plutarch widmet sich Themenkomplexen wie den priesterlichen Reinigungsritualen, verschiedenen Tierkulten und dem Kult der synthetischen griechisch-ägyptischen Gottheit Serapis. Die folgende Version des Königtum-Mythos, in der die griechischen Namen der Götter verwendet werden, können wir bei ihm nachlesen.

Der Gott Kronos (Geb) und die Göttin Rhea (Nut) vereinigen sich heimlich. Erzürnt darüber, verbietet Helios Rhea die Niederkunft

*Die Göttin Isis und ein Priester vor dem vergöttlichten König Sethos I. (1304–1290) als Osiris. Bemaltes Kalksteinrelief vom Tempel Sethos' I. in Abydos*

an einem Tag innerhalb des offiziellen Jahres, das zu jener Zeit noch 360 Tage zählte. Doch Hermes (Thot) gewinnt dem Mond beim Brettspiel Zeit ab, und es gelingt ihm, dem Jahr fünf Tage hinzuzufügen. Diese überzähligen fünf Tage sind die Geburtstage der fünf Gottheiten Osiris, Apollo (Horus der Ältere), Typhon (Seth), Isis und Nephthys. Später führt Osiris die Ägypter aus der Barbarei in die Zivilisation, indem er sie lehrt, Felder zu bestellen und sich Gesetze zu geben. Danach reist Osiris durch die Welt, um die barbarischen Völker in zivilisierte Gemeinschaften zu verwandeln. Dies gelingt ihm nicht etwa durch die Macht des Schwertes, sondern durch Beredsamkeit und Gesang. Nachdem Osiris endlich nach Ägypten zurückgekehrt ist, schmiedet Typhon im Einvernehmen mit zweiundsiebzig Mitverschwörern ein Komplott gegen ihn. Die Abtrünnigen lassen eine kunstvoll verzierte Lade nach den genauen Maßen des Osiris fertigen. Während eines Festbanketts bietet Typhon den kostbaren Kasten demjenigen an, der ihn mit seinem Körper genau ausfüllt. Jegliches Mißtrauen wird durch die Vielzahl der Bewerber, die ihr Glück versuchen, zerstreut. Doch als sich schließlich auch Osiris in die Lade legt, schlagen die Verschwörer den Deckel zu und verriegeln den Kasten fest. Die Lade wird in den tanitischen Arm des Nils gestoßen und treibt bis auf das Mittelmeer hinaus. Isis irrt voll Trauer und Verzweiflung umher, bis sie endlich von dem Schicksal der Lade erfährt. Im Lauf ihrer Wanderungen vertraut sie sich der Führung des Schakalgottes Anubis an; es stört sie offenbar nicht, daß Anubis dem illegitimen Verhältnis zwischen ihrer Schwester Nephthys und Osiris entstammt. Sie folgt den Spuren des Kastens bis nach Byblos im Libanon; die Lade befindet sich dort im Inneren eines mächtigen, sie umschließenden Ereike-Baums (Baumheide). Diesen Baum hatte der König von Byblos fällen lassen, um ihn als Stützpfeiler für das Dach seines Palasts zu verwenden. Isis läßt sich an einem Brunnen nieder und macht sich mit den Zofen der Königin bekannt. Auf die Haut dieser Frauen haucht sie einen besonderen, ihr selbst eigenen Duft, der die Aufmerksamkeit der Königin auf sich zieht. Diese schickt nach Isis und macht sie zur Amme ihres kleinen Sohnes. Um dem Kind Unsterblichkeit zu verleihen, setzt Isis es nachts in Brand und umschwirrt in Gestalt einer Schwalbe die Säule, die die Lade mit Osiris umschließt. Isis' Klagerufe bringen die Königin herbei, die bei dem Anblick ihres brennenden Kindes entsetzt zu schreien beginnt. Eine verständliche Reaktion, die jedoch den Zauber bricht. Isis berichtet nun von ihrem Schicksal, verlangt die Säule und schneidet die Lade heraus. Das äußere, mit einer duftenden Salbe bestrichene und in Linnen gehüllte Holz weiht sie ihrem Tempel in Byblos. Die Lade selbst bringt sie nach Ägypten zurück, läßt sie indessen während eines Besuchs bei ihrem Sohn Apollon, der in dieser Version schon geboren ist und in Buto erzogen wird, unbewacht. Prompt stößt Typhon, der sich an jenem Abend auf einem Jagdausflug befindet, auf die Lade. Er zerreißt Osiris' Leichnam in vierzehn Stücke und verstreut diese über das ganze Land. Isis macht sich nun in einem kleinen Papyrusboot erneut auf die Suche. Überall, wo sie einen Teil des Leichnams findet, hält sie eine Bestattungszeremonie ab. So erklärt sich die Vielzahl der Osiris-Gräber in verschiedenen Kultstätten.

Der Phallus des Osiris jedoch bleibt unauffindbar, denn Typhon hatte ihn den Fischen im Nil zum Fraß vorgeworfen.

Apollon wird indessen von Osiris selbst zum Kampf gegen Seth erzogen und auf ihn vorbereitet. Um die Absichten seines Sohnes zu prüfen, steigt Osiris schließlich aus der Unterwelt herauf und stellt zu seiner großen Freude fest, daß dieser fest entschlossen ist, den Vater zu rächen. Der Kampf zwischen Apollon und Typhon dauert viele Tage, doch bleibt Apollon siegreich. Isis, die den Typhon zwar erst in Fesseln abführt, dann aber befreit, zieht den Zorn Apollons auf sich. Er reißt ihr die Krone vom Kopf, die ihr Hermes jedoch mit dem Kuhgehörn ersetzt – ein Insignium, das Isis und Hathor gemeinsam haben. Typhon bemüht sich, die Machtergreifung Apollons als illegitim anzuprangern, doch die Götter stimmen ihm nicht zu, und nach zwei weiteren Kämpfen unterliegt Typhon endgültig. So endet Plutarchs Version vom Mythos des Königtums.

## Isis »Groß an Zauberkraft«

Die Göttin Isis stand in dem wohlverdienten Ruf außergewöhnlicher Klugheit, List und Hartnäckigkeit. Einige der Mythen, die diese Eigenschaften widerspiegeln, waren Teile magischer Kultzeremonien, die entweder auf Papyrusrollen oder auf Stelen bezeugt sind. Die Legenden über Isis enthielten die für den ägyptischen Alltag einschlägigen magischen Heil- und Schutzformeln gegen all die üblichen Beschwerden, Ängste und Bedrohungen, denen die alten Ägypter sich ausgesetzt sahen. Diese Sprüche kamen etwa bei Fieber, Kopfschmerzen, Magenbeschwerden, Geburt und Kindbett sowie als Schutz vor Krokodilen, Skorpionen und anderem giftigen Getier zum Einsatz.
Einige der Formeln und Sprüche waren offensichtlich fester Bestandteil medizinischer Handbücher und mußten bei der Behandlung eines Patienten gesprochen werden. Eine Methode, Schmerzen zu lindern, bestand beispielsweise darin, den Patienten mit einer mythischen Figur, die durch die Hilfe einer mächtigen Gottheit von ihrem Leiden geheilt wurde, gleichzusetzen. Ein Kranker mit Magenkrämpfen wird so in der entsprechenden Formel mit dem Namen des kindlichen Horus angesprochen. Die Mutter des Patienten repräsentiert die Göttin Isis und erklärt, daß bösartige Würmer die Verursacher der Krämpfe seien und ausgetrieben werden müßten. Zu diesem Zweck werden neunzehn magische Symbole auf den Unterleib des Patienten gezeichnet, um die Parasiten aus dem Körper herauszutreiben. Ganz ähnlich beschreibt ein medizinischer Papyrus des Britischen Museums Isis' sinnfällige Heilmethode bei Fieber oder Verbrennungen: Der Patient wird zu

*Die Göttin Isis, ihren Sohn Horus nährend; Symbol ihrer schützenden magischen Kraft. Bronze, Spätzeit*

dem in der Wüste schmachtenden jungen Horus. Isis kommt herbei und fragt, ob Wasser vorhanden sei, was verneint wird. »Laß hingehen«, erwidert sie, »denn Wasser habe ich in meinem Mund und eine Nilflut zwischen den Schenkeln.« Diese Formel wird über einem Gebräu aus menschlicher Milch, Gummi oder Pflanzensaft und Katzenhaar gesprochen, bevor es auf die entsprechenden Körperstellen des Leidenden aufgetragen wird. Das kühlt die Hitze des Fiebers und lindert die Schmerzen der Verbrennungen.

## Isis und die sieben Skorpione

Dank der ausgedehnten Sammlung von magischen Formeln und Amulett-Vignetten, die auf der Metternich-Stele eingraviert ist (heute im Metropolitan Museum in New York), läßt sich die Legende von Isis und den sieben Skorpionen beinahe lückenlos erschließen. Diese Geschichte wurde in das Textkorpus der Stele aufgenommen, um deren Besitzer vor der allgegenwärtigen Gefahr eines Skorpionstichs zu schützen. Die erste Szene zeigt Isis bei der Herstellung eines Mumientuchs für ihren Gatten Osiris. Dieser war seinem Bruder Seth zum Opfer gefallen, der ihn eigenhändig ermordete, um selbst den Thron zu besteigen. Thot, der Weisheitsgott, rät Isis dringend, sich und ihren jungen Sohn Horus vor Seths Machenschaften zu verbergen, damit der Knabe das Erwachsenenalter erreichen und den Mord an Osiris rächen könne.

Nach dieser Einführung durch den Königtum-Mythos wendet sich der Text nun Isis' magischen Heilkräften bei giftigen Bissen oder Stichen zu. Gegen Abend verläßt Isis mit einer Eskorte von sieben Skorpionen ihr Haus. (Der Siebenzahl sprach man im altägyptischen Denken allgemein große magische Kräfte zu – unter anderem sind es sieben Knoten, die zu dem Behandlungsritual gegen Kopfschmerzen oder bei Brustbeschwerden nach der Entbindung gehören.) Drei der Skorpione, Petet, Tjetet und Matet, bilden die Vorhut, um sicherzustellen, daß Isis ungehindert ihres Weges gehen kann. Unter Isis' Sänfte befinden sich zwei weitere Skorpione, Mesetet und Mesetetef, während die beiden letzten, Tefen und Befen, sich zur schützenden Nachhut formieren. Isis mahnt die Skorpione zur äußersten Vorsicht, damit sie Seth nicht etwa ihren Aufenthaltsort verraten; sie schärft ihnen sogar ein, sich auf keinerlei Gespräche mit Passanten einzulassen. (Wobei wir bei der absonderlichen Vorstellung eines munteren Geplauders zwischen einem geschwätzigen Skorpion und einem verblüfften ägyptischen Dorfbewohner unsere Belustigung kaum unterdrükken können.) Isis erreicht indessen ihr Ziel, die im Nildelta gelegene Stadt der Zwei Schwestern, ungehindert. Die Ankunft der seltsamen Prozession wird von einer reichen Dame aus noblem Geblüt beobachtet, die jedoch sogleich Tür und Tor ihres Hauses verschließt. Die sieben Skorpione sind über diese Ungastlichkeit zutiefst erbost und beschließen, sich an der wohlhabenden Dame zu rächen. Zum Zweck ihrer Rache beladen sechs der Skorpione den Stachel des siebten, Tefen, zusätzlich mit ihrem eigenen Gift.

Unterdessen bietet ein einfaches Bauernmädchen Isis den Schutz ihrer bescheidenen Behausung an. Dieses Mädchen stellt natürlich den Gegenpart zu der unfreundlichen reichen Dame dar, womit auf unverfängliche Weise ein wenig Sozialkritik in die Geschichte eingeflochten ist. Nun sehen wir, wie Tefen unter die Türschwelle der reichen Dame kriecht und deren kleinen Sohn mit seinem siebenfach giftigen Stachel verletzt. Auf der Suche nach Hilfe für ihr im Sterben liegendes Kind durchirrt die Mutter verzweifelt die Straßen der Stadt. Ihr ungastliches Verhalten rächt sich nun bitterlich, denn ihre Hilferufe bleiben unbeantwortet. Isis jedoch, die in Ägypten als das Sinnbild der Mutterliebe galt, kann den Tod des unschuldigen Kleinen nicht zulassen und macht sich daran, den Knaben ins Leben zurückzuholen. Sie hält ihn in den Armen und spricht dabei Worte von großer magischer Kraft. Indem sie jeden der Skorpione bei seinem Namen nennt, gewinnt sie Macht über sie und bewirkt, daß das potenzierte Gift im Körper des Kindes schließlich keinen Schaden anrichtet. Diese magische Formel konnte bei jedem Kind angewendet werden, das von einem Skor-

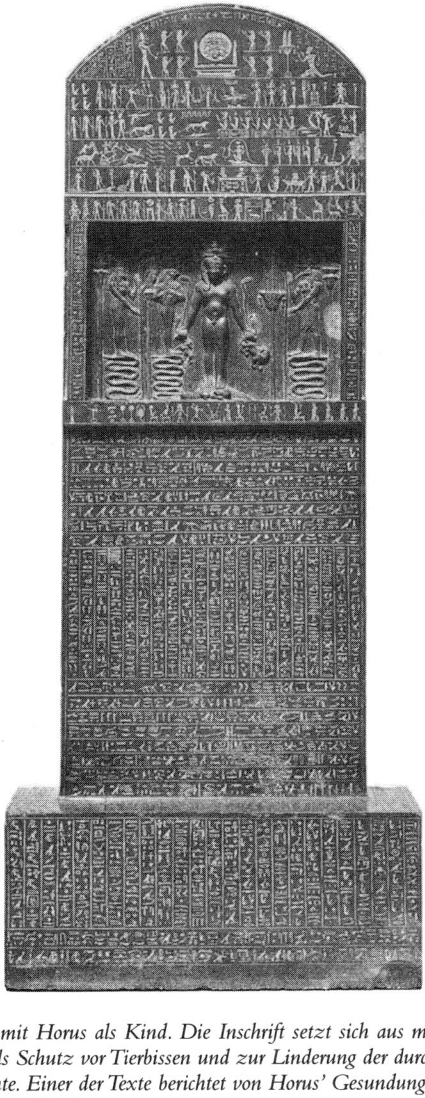

*Metternich-Stele mit Horus als Kind. Die Inschrift setzt sich aus magischen Formeln zusammen, die als Schutz vor Tierbissen und zur Linderung der durch sie verursachten Beschwerden diente. Einer der Texte berichtet von Horus' Gesundung nach einem giftigen Biß durch die Hilfe Thots*

*Der Isis-Tempel auf der Insel Philae im 19. Jahrhundert, aus der Sicht des Malers David Roberts. Die auf die Nachbarinsel Agilkia versetzte Kultstätte behauptete sich am längsten gegen eine Christianisierung. Ptolemäische und römische Periode*

pion gestochen worden war. Um ihre Wirkung zu entfalten, mußte die Formel bei der Einnahme einer ärztlichen Rezeptur aus Gerstenbrot, Knoblauch und Salz gesprochen werden. Als die reiche Dame, die Isis vormals ihre Gastfreundschaft verweigert hatte, erkennt, daß ihr Kind wirklich gesundet, bereut sie ihr Verhalten zutiefst. Zum Dank bringt sie alle ihre irdischen Güter herbei und macht sie Isis und dem Bauernmädchen zum Geschenk. Denn schließlich war es dieses einfache Mädchen, das einer Fremden ohne Zögern wahre ägyptische Gastfreundschaft gewährte.

## Isis und das verborgene Wesen des Sonnengottes

Dieser Mythos soll im Grunde zweierlei darstellen: die Wirksamkeit von Isis' Zauberkräften und die Macht, die in der Kenntnis des letzten, verborgenen Namens, und damit der Identität seines Trägers, liegt. Die Legende ist uns durch ihren Gebrauch als Bannformel »zum Schutz vor Gift« überliefert; sie datiert aus der XIX. Dynastie (etwa 1200 v. Chr.) und ist im Papyrus 1993 des Turiner Museums enthalten. Eine bruchstückhafte Version bietet auch der *Papyrus Chester Beatty XI* im Britischen Museum (Nr. 10691).

Knapp und treffend umreißt der Beginn der Legende Isis' Charakter: »Isis war eine kluge Frau ... viel klüger als unzählige Götter ... nichts war im Himmel und auf der Erde, das sie nicht wußte.« Isis' Absicht ist es nun, den verborgenen Namen des Sonnengottes, Herrn der Götter, zu ergründen, da dieses Wissen sie und ihren Sohn Horus an die Spitze des Pantheons neben den Götterkönig rücken würde.

Sie plant, den Sonnengott durch seine eigenen Kräfte zu verwunden und gefügig zu machen. Auf seiner täglichen Reise in der ›Barke der Millionen‹ (d. h. Millionen Jahre) vom östlichen zum westlichen Horizont durchläuft der Sonnengott die drei Altersstufen. Unter anderem enthält der Mythos eine wenig schmeichelhafte Darstellung des gealterten Sonnengottes mit geöffnetem Mund, aus dem ihm, wohl bei einem Nickerchen, Speichel tröpfelt. Dies ist Isis' Chance – sie vermengt den Speichel mit Erde und stellt durch Zauber eine lebendige Giftschlange her. Diese setzt sie an einem Kreuzweg aus, den der Sonnengott auf seinem Weg zu dem Palast, den er bei seinen Besuchen in Ägypten bewohnt, zu passieren pflegt. Ganz nach Plan wird der Sonnengott von der Schlange gebissen, und sogleich lodert eine wahre Feuersbrunst in ihm auf. Der verwundete Gott sendet einen Hilfeschrei gen Himmel, worauf seine Neunheit sogleich herbeieilt, um ihm beizustehen. Der Sonnengott, durch sein eigenes Gift, das sich im ganzen Körper ausgebreitet hat, verwundet, zittert am ganzen Leib und stöhnt: »Ihr Götter, die ihr von mir abstammt, ... etwas

Qualvolles hat mich angegriffen, dessen Wesen mir unbekannt ist ... Mein Auge hat es nicht erblickt. Meine Hand hat es nicht erschaffen ... Keine Qual kommt dem gleich.« Weisheit und Zauberkraft der göttlichen Neunheit erweisen sich trotz der Hoffnungen, die ihr Oberster in sie setzt, als zu schwach. Den Göttern bleibt nichts, als das Schwinden der Kräfte des Sonnengottes, der Quelle allen Lebens, zu beklagen. Der nun folgende hochdramatische Auftritt der scheinbar vor Mitgefühl zerfließenden Isis gibt dem König der Götter neue Hoffnung, und er unterrichtet sie von seinem Unglück. Es geht ihm erbärmlich schlecht: zugleich von Hitze und Kälte überwältigt, schweißgebadet und zitternd, schwindet ihm zeitweilig auch noch die Sehkraft.
Nun ist der Augenblick gekommen, da Isis ihr Tauschgeschäft anbietet – ihre magischen Heilkräfte gegen seinen verborgenen Namen. Doch den geheimsten Namen preisgeben zu müssen würde für den Sonnengott einen Prestigeverlust bedeuten; eine Mitwisserschaft um die Identität seines innersten Wesens brächte auch Unwägbarkeiten mit sich. Also versucht es der Sonnengott mit einer List und betet eine lange Liste seiner sonstigen Namen herunter:

Schöpfer der Himmel und der Erde
Bildner der Gebirge
Schöpfer der Wasser für ›Die Große Flut‹
(kuhgestaltige Urgöttin)
Bildner des Stieres für die Kuh, damit es sexuelle Lust gebe
Regler der Überschwemmungen
Chepre am Morgen
Re am Mittag
Atum am Abend

Isis erkennt jedoch, daß der verborgene Name nicht unter den genannten ist, und verstärkt das Rasen des Gifts, bis der Sonnengott die Qualen nicht länger erträgt. Er erklärt sich bereit, Isis in sein Geheimnis einzuweihen, jedoch nur unter der Bedingung, daß sie ihren Sohn Horus unter Eid dazu verpflichtet, keinem anderen

Geschöpf den verborgenen Namen zu enthüllen. Dieser Eid ist allerdings ziemlich wertlos, denn da der Pharao die irdische Erscheinungsform des Gottes Horus ist, wird er automatisch zum Teilhaber an diesem machtgeladenen Wissen. Ärgerlicherweise nennt der Papyrus nun nicht etwa den Namen, den der Sonnengott Isis anvertraut, sondern enthält die Worte der Formel, mit der die Göttin die Qual des Obersten der Götter lindert: ein Spruch, der in Verbindung mit einem Trunk aus ›Skorpionkraut‹, das mit Bier oder Wein vermischt wird, die Heilung aller von giftigen Bissen herrührenden Beschwerden bewirken soll.

# Die Vernichtung des Menschengeschlechts

Der Mythos von der Vernichtung des Menschengeschlechts stellt die drastischste Ausgestaltung einer zeitweilig gestörten Beziehung zwischen Göttern und Menschen dar. Der Konflikt entsteht einerseits aus dem tiefen Mißtrauen, das der Sonnengott dem Menschengeschlecht entgegenbringt, und der überbordenden Selbstüberschätzung der Menschen andererseits. Das unglückliche Zusammentreffen dieser Faktoren führt zu einer Rebellion und ihrer Niederschlagung mit einer katastrophal hohen Zahl von Opfern.

Das Verhältnis zwischen Menschen und Göttern hing von unzähligen Mikrokosmen ab, die über das ganze Niltal verstreut waren: den von ihrer jeweiligen Priesterschaft geführten Tempeln. Zu den Aufgaben der Priester – beauftragt vom Pharao – gehörten unter anderem das tägliche Rezitieren religiöser Formeln beim Kultus und die Versorgung der Heiligtümer mit Speiseopfern. Wurden diese Gottesdienste überall ordnungsgemäß durchgeführt und ließen auch die Opfergaben nichts zu wünschen übrig, wurden die Götter günstig gestimmt und wirkten zum Wohle Ägyptens.

Die von einem Oberpriester vorzutragende Liturgie bezog sich auf die kosmische Ordnung, die der höchste Schöpfergott am Zeitenbeginn in Gang gesetzt hatte. Dieses Ordnungsprinzip wurde von Maat, der Göttin der Wahrheit, des Rechts und der Ordnung, in Gestalt einer knienden Frau mit einer Straußenfeder auf dem Haupt personifiziert. Der jeweilige Pharao wurde häufig mit dem Abbild der Maat in Händen dargestellt, um die Verbundenheit des

Königs mit den Gesetzen des Kosmos zu unterstreichen. Der Ablauf der Kulthandlung, der Darbietung von Opfergaben oder des Dienstes an Kultbildern war durch Tempelpapyri genau festgelegt. Auf den Abbildungen an den Tempelwänden ist es der Pharao selbst, der die notwendigen Rituale im Inneren des Heiligtums durchführt; diese symbolischen Darstellungen verweisen bildlich darauf, daß der König mit seiner eigenen Person für das Handeln seiner bestellten Vertreter, der hohen priesterlichen Würdenträger, einsteht.

Dieses geregelte System begünstigte das Gefühl eines allgemeinen Optimismus, und die Ägypter nahmen an, die Götter ihres Pantheons seien ihnen wohlgesonnen. Natürlich konnte der einzelne durch eine Verfehlung den Zorn einer Gottheit auf sich ziehen und bestraft werden. Schöne Beispiele für derartige Verstöße finden wir auf Stelen aus der XIX. Dynastie (um 1307–1196 v. Chr.), die aus der heute als Deir el-Medine bekannten Arbeitersiedlung für die am Bau der Königsgräber beteiligten Handwerker stammen. Die ursprünglich in Ortstempeln dargebrachten Stelen verzeichnen die Reue über menschliche Verfehlungen und die demütigen Bitten um Vergebung und Erlösung von dem göttlichen Strafgericht der beleidigten Gottheit. Der Baumeister Neferabu z. B. verärgerte durch verschiedene Missetaten gleich zwei Gottheiten, denen er später zur Bekräftigung seiner Reue jeweils eine Votivstele weihte. Auf einer dieser Stelen, die sich heute im Turiner Museum befindet, gibt Neferabu zu, die Göttin Meretseger, ›Die, welche die Stille liebt‹, beleidigt zu haben. Meretseger ist eine für die Totenstadt verantwortliche Schlangengöttin, die auf dem Berggipfel residiert, der über der königlichen Nekropole aufragt. Zur Strafe für sein nicht näher bezeichnetes Vergehen peinigte sie Neferabu mit heftigen Schmerzen – vergleichbar, wie es auf der Stele heißt, mit Geburtswehen. Die Göttin läßt sich jedoch schließlich erweichen und entsendet »süße Brisen«, die Neferabu heilen. Auf der anderen Stele, die heute im Britischen Museum zu sehen ist, muß Neferabu eingestehen, daß er im Namen des Gottes Ptah, Herrn der Maat, einen Meineid geschworen hat. Der Gott läßt den Sünder zur Strafe »Finsternis am Tage sehen«, d. h. er schlägt ihn mit

Blindheit. Neferabu erkennt die Gerechtigkeit dieser göttlichen Strafe an und bittet Ptah um Gnade.

Auch ein Pharao konnte die Göttin mit seinem politischen Handeln erzürnen. Während der Regentschaft des Pharaos Achenaten (Echnaton, 1353–1335 v. Chr.) wurde die Sonnenscheibe, Aton genannt, zur höchsten und einzigen Gottheit erhoben. Tempel wurden geschlossen und das traditionelle ägyptische Pantheon, einschließlich Amun-Res, außer Kraft gesetzt. Mit der Thronbesteigung seines Sohnes Tutanchamun setzte eine Abkehr von der Politik Echnatons ein, und die Tempel wurden wieder in Betrieb genommen. Auf einer im Tempel zu Karnak aufgestellten Stele (heute im Museum von Kairo) beschreibt der Pharao die Stimmung unter den Göttern, die auf Echnatons Exzesse folgte:

> Die Tempel der Götter und Göttinnen ... fielen in Trümmer. Ihre Schreine lagen verlassen und überwuchert. Ihre Heiligtümer waren wie nie gewesen, und ihre Höfe wurden zu Wegen gemacht ... die Götter wandten diesem Land den Rücken zu ... wenn jemand zu einem Gott betete, daß er ihm einen Rat erteile, so antwortete dieser nicht – und ebensowenig die Göttinnen. Ihre Herzen schmerzten sie im Leibe, und überall richteten sie großen Schaden an.

Die Wiedereinsetzung und Wiedergutmachung durch Tutanchamun, besonders was Amun-Re und Ptah anging, versöhnte die Götter und Göttinnen mit Ägypten und erlöste das Land aus seiner Bedrängnis.

Der Mythos von der Vernichtung des Menschengeschlechts ist als Teil einer Sammlung von magischen Sprüchen überliefert, die, als *Das Buch von der Himmelskuh* oder *Kuhbuch* bekannt, dem Schutz des königlichen Leibes diente. Die älteste Abschrift von Teilen dieses Buchs befindet sich auf der Innenseite des äußersten der vier vergoldeten Holzsärge, die den Sarkophag Tutanchamuns (etwa 1333–1323 v. Chr.) umschlossen; ursprünglich befanden sie sich in Tutanchamuns Grab im Tal der Könige, heute im Kairoer Museum. Eine längere Version dieses Texts kennen wir aus einem

*König Echnaton, Königin Nofretete und eine der Töchter opfern dem Sonnengott Aton. Kalksteinrelief vom Aton-Tempel in Tell el-Amarna*

Nebenraum der Grabkammer Sethos' I., ebenfalls im Tal der Könige gelegen. Andere Königsgräber der XIX. und XX. Dynastie enthalten jeweils Abschnitte des Werks. Wir sind also in der glücklichen Lage, eine annähernd vollständige Fassung dieses Mythos rekonstruieren zu können; es wird sich zeigen, daß die Rolle der Himmelskuh aus dem Mythos vom Untergang als dessen Fortsetzung hervorgeht.

Dieser Mythos versetzt uns in die Zeit, als der Sonnengott Re selbst über Ägypten herrschte – eine Epoche, die sich natürlich nicht in historische Begriffe fassen läßt, denn sie gehört einer fernen, mythischen Vergangenheit an. Ein wichtiger historischer Papyrus (Turiner Königskanon) und Manethos dynastische Übersicht setzen jedoch mit einer Reihe von Göttern ein, die vor der Reichseinigung unter dem ersten Pharao um 3000 v. Chr. Ägypten regierten. Im *Buch von der Himmelskuh* wird – leider sehr unspezifisch – von einem Komplott der Menschen gegen Re berichtet, den man möglicherweise als zu alt für eine erfolgreiche Amtsführung ansah. Die Pharaonen späterer, historischer Epochen trafen jedenfalls sorgfältige Vorkehrungen, um dem Anschein, das Alter vermindere ihre Leistungsfähigkeit als Herrscher, entgegenzuwirken. Den Kern der Jubiläumsfeiern bildeten Verjüngungszeremonien, die den Heldenmut und die Kraft des Herrschers zeigen und erneuern sollten; die Gegenwart des Sonnenkönigs wurde durch ein Kultbild heraufbeschworen, dessen »Gebeine von Silber, Fleisch von Gold und Haar von Lapislazuli« waren.

Re, der über die Verschwörung gegen ihn im Bilde ist, beruft eine geheime Götterversammlung in seinen Großen Palast ein; offenbar ist er nicht bereit, die Menschheit nur zu verwarnen.

Zuerst wendet Re sich an Nun, die Urmaterie, der er selbst zu Anbeginn der Schöpfung entstieg. Re führt aus, wie der Mensch, obwohl einst aus den Tränen seiner göttlichen Augen entstanden – ein Wortspiel mit der Klangähnlichkeit der ägyptischen Wörter für ›Mensch‹ und ›Träne‹ –, sich nun durch üble Ränke gegen ihn, den Schöpfer, wende. Re will Nuns Meinung einholen, bevor er die Vernichtung des gesamten Menschengeschlechts in

*Die löwinnengestaltige Göttin Sachmet, das Werkzeug der Rache des Sonnengottes Re an der Menschheit. Schwarze Granitplastik aus dem Tempelbezirk der Göttin Mut in Karnak. Um 1350 v. Chr.*

die Wege leitet. Nun erwidert ihm, das Auge Res, das sogenannte Sonnenauge, sei das rechte Rachewerkzeug, das die Menschen unter Furcht und Schrecken vertilgen solle. Re muß indessen feststellen, daß sein Zorn über das Komplott bei den Menschen nicht unbemerkt geblieben ist und sie aus Furcht in die Wüste hinaus geflohen sind. Einhellig drängen die anderen Götter Re zur Rache.

Das Symbol des Sonnenauges ist komplex, doch eine seiner Grundeigenschaften besteht darin, als autarke, von dem Sonnengott gänzlich unabhängige Entität auftreten zu können. Diese Eigenständigkeit kann soweit gehen, daß das Sonnenauge sich auf Reisen in entfernte Gegenden begibt und nur durch Lockungen zu einer Rückkehr zu bewegen ist. Hier wird das Auge Res zu seiner Tochter Hathor. Am häufigsten kennen wir Hathor in der Rolle einer den Pharao mit ihrer Milch nährenden göttlichen Mutterfigur, als Wächterin der thebanischen Nekropole oder als Göttin der Liebe und Freude, von den Griechen mit Aphrodite gleichgesetzt. In dem Vernichtungsmythos erscheint Hathor jedoch als eine Gottheit von unüberwindlicher zerstörerischer Kraft, die die Menschen in der Wüste aufspürt, verfolgt und grausam abschlachtet. Bei ihrer Rückkehr schwelgt sie in Blutrünstigkeiten und brüstet sich des Gemetzels. Die nun folgende Erläuterung der Umstände von Hathors Verwandlung in Sachmet, die blutdurstige, löwinnengestaltige Göttin, deren Name etwa ›die Mächtige‹ bedeutet, steigert die Komplexität dieses Mythos noch. Mit Hathor-Sachmet wird uns hier das grausige Bildnis einer im Blut watenden, rasenden Löwin präsentiert, die in ihrem Mordrausch ein entsetzliches Massaker unter den Menschen anrichtet.

Am Abend begibt sich das Sonnenauge zur Ruhe, um sich für das Weitermorden am nächsten Tag zu erholen. Indessen ist die rachsüchtige Stimmung des Sonnengottes in Mitleid mit den Menschen umgeschlagen – der Mythos läßt uns über die Motive dieses plötzlichen Sinneswandels im dunkeln. Ein möglicher Grund könnte jedoch sein, daß mit der Vertilgung des Menschengeschlechts auch die Tempel verwaist und die Altäre ohne Opfergaben für die Götter wären. Letztlich würde das die Funktionstüchtigkeit des ausgeklügelten, vom Schöpfergott am Anbeginn der

Zeiten eingerichteten kosmischen Systems entscheidend beeinträchtigen. Die Kehrtwende Res mag auch damit zusammenhängen, daß es dem Gott widerstrebt, Geschöpfe, die seiner eigenen Materie entstammen, der Vernichtung preiszugeben. Letzteres deckt sich mit dem Glauben der Ägypter, daß kein wie auch immer gearteter Teil des Körpers in den Besitz eines anderen gelangen oder vernichtet werden dürfe. Daher auch die vier Eingeweidekrüge, in denen man die Organe verwahrte, die dem Toten bei den Balsamierungszeremonien entnommen wurden.

Wie auch immer, Re organisiert die Rettung der Menschen vor der blutrünstigen, erbarmungslosen Göttin. Nur diese eine Nacht haben die Götter, bevor Sachmet am Morgen erwachen und mit dem entsetzlichen Morden fortfahren wird. Re schickt seine persönlichen Boten aus und befiehlt ihnen, sich in fliegender Eile nach Assuan zu begeben – in den Worten der alten Ägypter heißt es, »dahinzuhuschen wie der Schatten eines Körpers« –, um von dort große Mengen roten Ockers herbeizuschaffen. Keinem geringeren als seinem Oberpriester, dem ›Bezopften von Heliopolis‹, wie ein Beiname lautet, befiehlt Re, den Ocker zu reiben und das rote Pulver von Sklavinnen mit Bier vermengen zu lassen. Bald sind siebentausend Krüge mit Bier gefüllt, das aussieht wie Menschenblut. Gegen Ende der Nacht bringen Re und sein Gefolge die Krüge dorthin, wo die Göttin das Gemetzel vom Vortag wiederaufzunehmen gedenkt. Sie entleeren die Krüge auf die Erde, bis das Blutbier drei Spannen (d. h. 22,5 cm) hoch steht. Als die Göttin am Morgen das ›Blut‹ erblickt, labt sie sich hocherfreut an diesem unerwarteten Trunk, wobei sie sich gründlich berauscht. In diesem Zustand will es ihr nicht so recht gelingen, die Suche nach den Überlebenden des Massakers vom Vortag wiederaufzunehmen.

Nach der Bestrafung und nahen Auslöschung des Menschengeschlechts behandelt der verbleibende Teil der Texte hauptsächlich Wiedergeburt und Aufstieg des Sonnengottes – und damit des Monarchen – auf dem Rücken der Himmelskuh in den Himmel. Sowohl der Schrein Tutanchamuns als auch das Grab Sethos' I. enthalten Abbildungen der Kuh ›Mehet wer‹, oder ›Große Flut‹, als welche die Himmelsgöttin Nut, deren Leib das himmlische Firmament bildet, hier erscheint. So verläßt der Sonnengott Re, zynisch und der Menschen überdrüssig, schließlich Ägypten. Doch dieser Rückzug ist keine restlose Abdankung: Re bestimmt den Weisheitsgott Thot zu seinem Stellvertreter, der auch weiterhin in seinem Namen ein Auge auf die Menschen haben soll. Auf Res Geheiß bringt Thot den Menschen das Wissen von dem »heiligen Wort«, d. h. die Kenntnis der Hieroglyphen, in denen alle wissenschaftlichen Erkenntnisse, die Medizin und Mathematik enthalten sind.

## Die Reise des Sonnengottes durch die Unterwelt

Zwischen 1492 und 1070 v. Chr. bestattete man die Pharaonen fast ausnahmslos in der nahe dem westlichen Theben gelegenen königlichen Nekropole, die heute so passend als das »Tal der Könige« bezeichnet wird. Ursprünglich waren die Felsengräber mit wertvollen Grabbeigaben ausgestattet, und die Sarkophage umschlossen die mit kostbarem Geschmeide geschmückten königlichen Mumien. Doch trotz des abschreckend giftigen Bisses der Schlangengöttin Meretseger, deren Wohnstatt sich auf dem Berggipfel befand, der das Tal überblickt, und trotz der – allerdings mitunter nachlässigen – Wachsamkeit der Nekropolenwächter gelang es Grabräubern immer wieder, die Schätze der Pharaonen zu plündern. Diesem Schicksal konnten auch einige Gegenstände aus dem Grab Tutanchamuns nicht entgehen, das ansonsten jedoch nach seiner Wiederversiegelung bis zu seiner Entdeckung durch Howard Carter im Jahre 1922 wie durch ein Wunder von Plünderungen verschont blieb. Wenn es glücklicherweise auch keinen antiken Schwarzmarkt für Bruchstücke der komplexen und verwirrenden Abbildungen gab, die die Wände und Decken der Königsgräber schmücken, so waren die Gemälde doch den Angriffen des Salzes im thebanischen Kalkstein, gelegentlichen sintflutartigen Regenfällen und mitunter despektierlichen Kritzeleien koptischer und griechischer Reisender aus zwei Jahrtausenden ausgesetzt. Doch trotz natürlicher Witterungsschäden und anderweitiger Verstümmelungen sind es diese Wände, auf denen sich das reiche Panorama der ägyptischen Unterweltsvorstellungen vor uns entfaltet.

Die fruchtbare Vorstellungskraft der religiösen Denker des alten Ägypten hat zahlreiche Bilder und Symbole hervorgebracht, die um die allnächtliche Reise des Sonnengottes durch die Unterwelt kreisen. Bei allen Unterschieden bilden letztlich die Unversehrbarkeit, die Verwandlung und die Verjüngung des Sonnengottes ihren gemeinsamen Nenner. Durch diese Reise wird aus dem gealterten Sonnengott, der allabendlich in die finsteren Gefilde der Unterwelt hinabsteigt, eine verjüngte kraft- und lebensvolle Gottheit, die jeden Morgen am Himmel emporsteigt. Der Berg Manu galt als westlicher Ausgangspunkt der Reise, die Re nach Sonnenuntergang antrat; die Unterwelt, durch die seine Reise führte, hieß Duat, und der Berg Bachu markierte die Stelle seines allmorgendlichen Wiedererscheinens im Osten.

Drei Hauptzeugnisse sind überliefert, die uns die Gefahren und Abenteuer dieser Unterweltfahrt schildern und dabei alle Zweifel an einem guten Ausgang und dem sicheren Wiedererscheinen Res am Firmament ausräumen. Die Entstehung dieser komplexen Sammelwerke zog sich über Jahrhunderte hin; dabei wurden Zusätze und Einfügungen aufgenommen, die rätselhafte Bildszenen oder Textabschnitte manchmal eher verdunkeln als erhellen. Gelegentlich war es den Kopisten nicht möglich, den Sinn der ihnen als Vorlage dienenden Zeugnisse, die sich über Generationen angesammelt hatten, zu enträtseln, so daß sich einige der Inschriften wie exotisches Kauderwelsch lesen. Gewisse Papyrusrollen werden zudem durch Alter und Gebrauch so verschlissen und unleserlich geworden sein, daß es unmöglich war, solche Vorlagen auf eine Wand zu kopieren. In diesen Fällen fügten die Zeichner die Hieroglyphen *Gem Wesch* in die Komposition ein, was in etwa ›fehlerhaftes Original‹ bedeutet.

Die früheste dieser Sammlungen ist das *Buch Amduat* oder *Buch von der Unterwelt.* Eine vollständige Fassung finden wir in den schematischen Zeichnungen an den Wänden der Grabkammern der Gräber Thutmosis' III. (1425 v. Chr.) und Amenophis' II. (1401 v. Chr.). Die Gräber Sethos' I. (1290 v. Chr.) und Ramses' VI. (1143 v. Chr.) enthalten elf der zwölf die Nachtstunden symbolisierenden Bildszenen. Teile des zweiten Sammelwerks,

*Szene aus der Unterwelt; die Himmelsgöttin Nut mit Geburtssymbolen. Grab Ramses' VI. Tal der Könige. Um 1150 v. Chr.*

des *Pfortenbuchs*, sind in ihrer frühesten Version im Grab des Haremhab (1307 v. Chr.) erhalten, die beiden vollständigsten befinden sich jedoch im Grab Ramses' VI. und in dem höchst kunstvoll geschnitzten Sarkophag Sethos' I. (heute im Museum Sir John Soanes in Lincoln's Inn Fields, London). Im Grab Ramses' VI. kann man zudem eine vollständige Abschrift des *Höhlenbuchs*, des jüngsten und seltensten der drei Werke, in Augenschein nehmen.

## Das Buch Amduat

Bevor der Sonnengott am Morgen als Skarabäus Chepre wiedergeboren wird, durchschifft er während seiner Unterweltsfahrt zwölf Szenerien. Seine nächtliche Reise tritt er an, nachdem er am westlichen Horizont angelangt ist, von wo aus er sich dem Fluß Wernes nähert, dessen Lauf die Reiseroute folgt. Der Prolog formuliert den Kern des Werks und hebt dessen magische Kraft hervor: »Wissen von der Macht jener in der Unterwelt, Wissen von ihren Taten – die heiligen Rituale für Re wissend, die verborgenen Bewegungen kennend, die Stunden und Götter kennend, die Tore und Pfade auf dem Weg des großen Gottes kennend, kennend die Mächtigen und die Verdammten.«
Seine Fahrt durch die Erste Szenerie (oder Stunde) der Duat bzw. Unterwelt beginnt Re unter dem Namen ›Fleisch‹, als widderköpfiger Gott in einem Schrein. Diese Darstellung zeigt die Erscheinungsform Res in der Unterwelt, aus der am Ende der Reise schließlich Chepre werden wird. Gemeinsam mit seiner göttlichen Mannschaft schifft Re sich auf der Sonnenbarke ein. Am Bug befinden sich die beiden Götter ›Pfadöffner‹ und ›Geist‹, die Göttin ›Dame der Barke‹ mit Kuhgehörn und Sonnenscheibe auf dem Haupt und der falkenköpfige ›Horus der Anbeter‹; an den Steuerrudern stehen die vier Gottheiten ›Stier der Wahrheit‹, ›Wächter‹, ›Wille‹ und ›Führer der Barke‹. Gruppierungen von göttlichen Wesen in abgeteilten Rechtecken flankieren Re zu beiden Seiten – so zwei Gruppen von je neun Pavianen, die dem Sonnengott die

Pforten öffnen und seinen Eintritt in die Unterwelt mit Gesang begrüßen, sowie zwölf Schlangen, die mit ihren Augen die Finsternis erleuchten.

Nun segelt Re in die Abteilung der Zweiten Nachtstunde, wo er den Getreidegöttern der Region von Wernes Landrechte zuspricht. In der Dritten Stunde erweckt Re Osiris, indem er ihm ›Wille‹ und ›Geist‹, d. h. Kraft zu Tat und Entscheidung gibt. In der Vierten Stunde taucht das gesonderte Motiv eines abfallenden Gangs mit zwei geöffneten Türen auf; schlangengestaltige Wächter sind zu sehen, einige von ihnen Fabelwesen, die mit einem Menschenkopf und vier kurzen Beinen, andere dagegen mit drei Schlangenköpfen und Schwingen ausgestattet sind. Magische Namen wie ›Der sich vom Atem seines Mundes nährt‹ oder ›Der von den Stimmen der göttlichen Wächter des Weges lebt‹ zeigen an, daß diese Schlangengötter nicht auf Beute angewiesen sind und für Re und sein Gefolge keine Gefahr bedeuten. Dieser Pfad stellt den von dem traditionellen Eingang von Rosetau hinabführenden Zugang zur Unterwelt dar. Auf ihm gelangt man zu dem Leib Sokars, eines memphitischen Nekropolengottes, und zum Grab des Osiris.

Mit der Fünften Stunde erreicht Re einen kritischen Punkt seiner Reise und eine von der Bildlichkeit der Auferstehung beherrschte Station. Die Sonnenbarke bewegt sich auf einen Hügel zu, aus dem ein Kopf hervorragt, der als »Fleisch der Isis, die über dem Sand des Landes Sokars ist« bezeichnet wird. Vier feuerspeiende Häupter bewachen die Pforten zum Innern des Hügels, über den Re gezogen wird. Auf dem Rücken des doppelköpfigen, löwengestaltigen Erdgottes Aker ruht eine Sandkugel, aus der Sokar, auf dem Rücken einer Schlange mit einem Menschenkopf an einem und drei Schlangenköpfen am anderen Ende stehend, zum Vorschein kommt. Der falkenköpfige Sokar, der hier die Urform der Unterwelt-Physis Res darstellt, tritt heraus, da die Gegenwart des Sonnengottes, der über seinen Hügel hinweggezogen ist, ihn erweckt hat. Über dem Hügel des Sokar befindet sich im oberen Bildregister ein Skarabäus, der aus einem Hügel in der Wüste zum Vorschein kommt und das Zugseil der Barke hält. Der Hügel, der

*›Fleisch des Re‹; widderköpfige Erscheinungsform des Sonnengottes, der im Schutz einer Riesenschlange die Unterwelt in seiner Barke durchfährt. Tal der Könige. Um 1300 v. Chr.*

das Wüstengrab des Osiris repräsentiert, wird von Isis und Nephthys in Gestalt von Sperberweibchen flankiert. Abermals wird gezeigt, wie der Sonnengott hier den Tod überwindet, indem er als Skarabäus Chepre dem Hügel ›Nacht‹ entsteigt – eine bildliche Umsetzung des Glaubens der ägyptischen Theologen, daß Leben und Tod einen ununterbrochenen Kreislauf bilden, bei dem keines der beiden Elemente endgültig die Oberhand behält. Im Abbild dieser ›Hügel-Vorstellung‹ ist der Sonnengott zwar in Osiris enthalten, jedoch nicht in einen ›permanenten Tod‹ eingeschlossen.

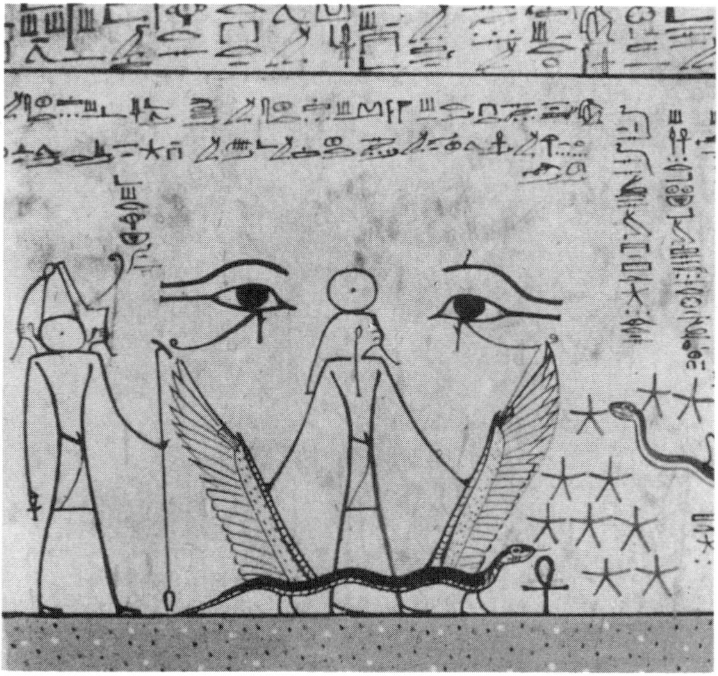

*›Heilige Augen‹ und eine geflügelte Schlange auf Beinen neben einer doppelköpfigen Figur mit der roten und der weißen Krone des vereinigten Ägypten. Abbildung aus dem Buch Amduat im Grab Thutmosis' III. (1479–25 v. Chr.). Tal der Könige*

Im Verlauf der Sechsten Stunde kommt Re mit seiner Barke vor dem paviangestaltigen Thot, der einen heiligen Ibis hält, zum Stehen. Thot beabsichtigt, im Fruchtland eine Stadt für die Götter und Könige Ober- und Unterägyptens zu gründen. Hier findet sich ebenfalls eine Abbildung des von einer fünfköpfigen Schlange umwundenen Chepre – es scheint so, als statte der Sonnengott seiner eigenen leichenhaften Erscheinungsform im Totenreich einen Besuch ab. Diese Sichtweise muß uns absonderlich erscheinen; um uns den ägyptischen Gedanken über den Zusammenhang von

Leben und Tod etwas anzunähern, wollen wir daher einige zusammenfassende Sätze des niederländischen Gelehrten William Brede Kristensen wiedergeben (zit. nach: N. Rambova, »The Symbolism of the Papyri«, in: *Mythological Papyri. Texts*, übers. und eingel. von A. Piankoff, New York 1957, S. 29f.):

> Alles, was lebt und gedeiht, resultiert aus einem unerklärlichen und gänzlich geheimnisvollen Zusammenwirken heterogener Faktoren. [...] Leben und Tod stellen sich als unversöhnliche Gegensätze dar: doch erst gemeinsam ergeben sie das ewige Leben. Keines der beiden ist stärker; sie wechseln ab oder, treffender gesagt, eins bringt das andere hervor. Universelles Leben bedeutet Totalität von Leben und Tod; in ihr versöhnen sich feindliche Kräfte und geben ihre Unabhängigkeit voneinander auf. [...] Die untergehende Sonne stirbt nicht etwa, sondern taucht ein in ihren verborgenen Lebensquell. Werden und Aufsteigen bestimmt die Natur Chepres. [...] Jedes Emporsteigen geschieht jedoch im Tod und vom Tod her, der sich so als potentielles Leben offenbart. Die Wiege des Lichts ist die Finsternis, in ihr findet die Sonne die Kraft, erneut aufzugehen. [...] Das absolute Leben hat im Reich des Todes seine Heimstatt.

In der Siebten Stunde seiner Fahrt wird Re Zeuge einiger gewaltsamer Szenen. Er sieht eine messerschwingende Gottheit mit Katzenohren, die vor dem Gott ›Fleisch des Osiris‹, den ein Schlangenleib schützt, Feinde enthauptet, während ein anderer Gott, ›der Strafende‹, gefesselte Rebellen mit einem Seil im Zaum hält. Vor den Augen Res in seiner Sonnenbarke vollzieht sich der Sturz seines Erzfeindes, der Apophisschlange. Die riesige Schlange personifiziert die Kräfte des Chaos, der Nichtexistenz, und stellt eine ständige Bedrohung für den Sonnenkönig dar, den sie zu verschlingen sucht. Obwohl die Apophisschlange nicht endgültig vernichtet werden kann, bemühen sich die Darstellungen in den Königsgräbern, sie durch die Magie des Bildes zu besiegen – und so zeigen sie den Feind zerstört oder gedemütigt, wann immer der

*Die Katze des Sonnengottes bei der symbolischen Enthauptung der Apophisschlange, der Personifizierung des Chaos in der Unterwelt. Grab des Nachtamun (um 1290 v. Chr.). Deir el-Medine, West-Theben*

Sonnengott in der Nähe ist. Hier erstreckt sich die Apophisschlange in ihrer ganzen Länge über 2,40 Meter; die Skorpiongöttin Selkis und die Göttin ›Führerin der Klingen‹ halten Kopf und Schwanz der Schlange, während viele Messer ihr Haupt und den mächtigen Leib durchbohren.

In der Achten Stunde der Reise durch die Nacht befinden sich neun Machtsymbole Res in Form von menschenköpfigen Dauben vor seiner Barke, die weitergezogen wird. An ihnen ist ein Paket mit einer herausragenden Messerklinge befestigt; diese Embleme vernichten die Feinde. Drumherum sind Nischen mit Türen zu sehen, vor denen sich verschiedene Gottheiten befinden, welchen das Zeichen für Leinengewänder beigefügt ist; einige von ihnen sind mumienförmig, andere Sitzfiguren mit menschlichen Köpfen, wieder andere tragen den Kopf eines Stieres, einer Ziege, Ratte, eines Ichneumon (›Pharaonenratte‹), Krokodils oder Flußpferdes auf den Schultern, einige erscheinen in Gestalt einer Kobra. Wenn Re ihre ›Höhlen‹ passiert, beantworten sie seinen Ruf mit vielerlei Stimmen und Geräuschen, vergleichbar dem Geschrei eines Katers, dem Abrutschen eines Stück Uferabhangs in die Fluten des Nils oder dem Zwitschern aus einem Vogelnest. In der Neunten Stunde trifft Re auf zwölf feuerspeiende Kobras, Wächterinnen des Osiris, die »vom Blut jener leben, die sie erlegen«. Daneben führt die Fahrt an einer Reihe von Palmszepter schwingenden Göttern vorbei, die für das Schnitzen von Bäumen oder Pflanzen zuständig sind.

In der Zehnten Stunde tauchen Symbole auf, die die bevorstehende Auferstehung Res in der Morgendämmerung ankündigen. Man erblickt den Skarabäus, der das Ei umklammert hält, dem er am östlichen Horizont entsteigen wird; daneben zwei Sonnenscheiben, die bereitstehen, um in den Himmel emporgehoben zu werden. Eine Vorhut von zwölf bewaffneten Göttern stellt sicher, daß sich die Sonnenbarke dem östlichen Horizont gefahrlos nähern kann, und Re befiehlt: »Seid flink mit euren Pfeilen, zielt wohl mit euren Lanzen und spannt eure Bögen. Straft meine Feinde, die nahe der Pforte in der Finsternis lauern.« Die Elfte Stunde widmet sich der Vernichtung der Unterweltfeinde. Sie werden in Feuergruben geworfen, in die je eine Göttin ihre Flammen speit; in einer sechsten, größeren Grube schmoren vier Verdammte mit dem Kopf zuunterst. Die Abtrünnigen werden als gefesselte Gefangene, verdammte Seelen, Schatten und abgeschlagene Köpfe abgebildet. Über diesem Massaker hält Horus folgende Ansprache: »In Feuergruben seid ihr gestürzt und könnt nicht entfliehen ... das Messer der ›Führerin der Klingen‹ wird euch aufschlitzen, sie wird euch zerstückeln und schlachten. Nie werdet ihr die sehen, die auf der Erde leben.«

Mit der Zwölften Stunde hat der Sonnengott den Höhepunkt seiner Fahrt durch die Unterwelt erreicht. Die Sonnenbarke wird in den Schwanz einer riesigen Schlange hineingezogen, in deren Leib

Re seine unterweltliche Erscheinungsform abstreift und als Chepre aus ihrem Maul wiedergeboren wird. Als Skarabäus ruht Re auf dem Haupt des Luftgottes Schu, dessen Arme die Grenze der Unterwelt markieren. Endlich fährt Re in der Tagesbarke hinauf, um dort »zwischen den Schenkeln Nuts zu erglänzen«.

## Der Weg des Sonnengottes in Amduat

| *Szenerie* | *Stadt/Region in der Unterwelt* | *Name der Stundengöttin* |
|---|---|---|
| 1 | Große Stadt | Schädelspalterin der Feinde Res |
| 2 | Feld von Wernes | Die Weise, Wächterin ihres Herrn |
| 3 | Feld der Getreidegötter und Wasser des Osiris | Seelenschlitzerin |
| 4 | Höhle der Lebensformen | Groß an Macht |
| 5 | Höhle des Sokar | Die in ihrer Barke |
| 6 | Tiefes Wasser | Bewährte Führerin |
| 7 | Höhle des Osiris, Stadt der geheimnisvollen Höhle | Abwehrerin der Feinde |
| 8 | Sarkophag ihrer Götter | Herrin der tiefen Nacht |
| 9 | Stadt der lebendigen Manifestationen | Anbetende |
| 10 | Stadt der tiefen Wasser und steilen Ufer | Enthaupterin der Rebellen |
| 11 | Stadt der Leichnamszählung | Der Stern, Besiegerin der Rebellen |
| 12 | Höhle am Ende der Finsternis, Stadt der Ankunft der Geburt | Betrachterin der Schönheit Res |

## Das Höhlenbuch

Das letzte der drei Sammelwerke verherrlicht den Sonnengott als den, der Leben und Licht in die finsteren Gefilde der Unterwelt bringt, die hier als eine Abfolge von Höhlen dargestellt wird. Die Abbildungen zeigen, wie Re die Höhlen der Götter bei seinem Gang durch Duat fortschreitend erleuchtet. Daneben wird die Bestrafung der Feinde und Verdammten in allen grausigen Einzelheiten vorgeführt. Dieses Wechselspiel von wohlverdienter Belohnung und gerechter Strafe macht aus dem Höhlenbuch ein psychologisches Tableau – in seiner strikten Ausrichtung auf Lohn und Strafe unterscheidet es sich von jeder anderen Jenseitsliteratur. Am nachhaltigsten wird der Gesamteindruck jedoch von den ungemein plastischen Hinrichtungs-Darstellungen bestimmt, weniger von den positiven Auswirkungen der Reise Res, die wohl eigentlich im Mittelpunkt stehen sollten.
Zu Beginn sehen wir Re zu Fuß in die Unterwelt hinabsteigen. Er nähert sich einer Reihe von Götterleibern beiderlei Geschlechts, die jeweils von einem Oval umschlossen werden. Jedes Oval stellt einen Sarkophag mit einem Leichnam dar, den die Macht Res auf seiner Reise wiedererwecken kann. In der Ersten Höhle bannt Re alle möglichen Gefahren und Angriffe, indem er, sein Wissen um die geheimen Namen offenbarend, die göttlichen Wächter der Höhle namentlich anruft. So wendet er sich beispielsweise mit der entsprechenden Namensformel an drei gigantische Schlangen:

> Stechende in deiner Höhle, Furchterregende – füge dich und gib den Weg frei! Ich betrete den Westen, um für Osiris Sorge zu tragen und seine Gegner den Henkern auszuliefern.
> Schreckliche von Angesicht in deiner Höhle, der jene aus der Unterwelt die Seelen von dem Ort der Verdammnis übergeben …
> Umschlingerin von Rosetau für den Herren der Duat …

Nachdem Re die Schlangen bei ihren Namen genannt und seine Macht behauptet hat, kann er, die Götter in ihren Sarkophagen grüßend, seinen Gang durch die Höhle fortsetzen. Wenn wir seinem Weg mit den Augen folgen, entdecken wir im unteren Register sogleich einen Zug von enthaupteten Feinden und Gefangenen in Fesseln.

Das Strafgericht setzt sich in der Zweiten Höhle fort, wo man die Gegner des Sonnengottes kopfunter aufgehängt und ihnen das Herz herausgerissen und zu Füßen gelegt hat. Hier trifft Re wie-

*Szene in der Unterwelt; Ramses VI. vor dem widderköpfigen Sonnengott, umgeben von besiegten, kopfunter hängenden Feinden und Göttern in Schreinen. Tal der Könige. Um 1150 v. Chr.*

derum auf einige Götter in Sarkophagen, die entweder den Kopf einer Spitzmaus oder den eines Katzenwelses haben; es sind Ursymbole, die mit Horus von Letopolis und Osiris in Verbindung gebracht werden. In der Dritten Höhle ebnet sich Re einen Pfad über Aker, den doppelköpfigen, löwengestaltigen Erdgott. Darunter befindet sich eine Darstellung von Osiris, der hier mit erigiertem Glied abgebildet ist, um seine Wiederbelebung durch das Licht Res anzuzeigen. In der Vierten Höhle begleitet ein Lobgesang auf die Schönheit und die Wohltaten Res den Eintritt des Gottes. In der Fünften Höhle wird er Zeuge der völligen Auslöschung seiner Feinde. Dort steht eine Anzahl Kessel, gefüllt mit hineingestürzten enthaupteten Leichnamen, abgeschlagenen Köpfen, Herzen, Seelen und Schatten der Verdammten. Zwei Göttinnen, die neben einem der Kessel sitzen, werden von Re beauftragt, mit allen vergangenen und zukünftigen Feinden ebenso zu verfahren: »Göttinnen des mächtigen Feuers, die ihr mit Gebeinen in den Kesseln rührt und die Seelen, Leichname, das Fleisch und die Schatten meiner Gegner verbrennt – seht, in eurer Nähe ziehe ich vorüber und vernichte meine Feinde. Ihr aber werdet in euren Höhlen bleiben, eure Feuer werden meine Kessel erhitzen, eure Seelen werden diesen Ort nicht verlassen, noch sich unter mein Gefolge mischen.« Doch trotz der grausigen Szenerie wird die Fünfte Höhle optisch von zwei riesenhaften, stehenden Gestalten beherrscht, die sich über drei Register erstrecken. Hier begegnet der Sonnengott ›Der Verborgenen‹, einer von Sonnenscheiben und Symbolen der Auferstehung umgebenen Manifestation der Himmelsgöttin Nut; erneut trifft er auch auf den wiederum mit erigiertem Glied dargestellten Osiris.

Inzwischen hat Re die Sechste Höhle, und damit den Schauplatz der Hinrichtung seiner Feinde, erreicht. Es ist indessen an der Zeit, das Gemetzel hinter sich zu lassen, zumal ein die Sonnenscheibe vor sich herrollender Skarabäus schon das obere Register der letzten Szene dieser Abteilung beherrscht. Die Barke, die dem östlichen Horizont entgegengezogen wird, trägt zwei Erscheinungsformen Res – den Skarabäus und den widderköpfigen Gott. Die Verwandlung vollzieht sich, und es ist die skarabäusgestaltige

Erscheinungsform des Gottes, die sich dem östlichen Horizont nähert. Haupt und Leib der auferstehenden und der unterweltlichen Gestalt sind jedoch miteinander verschmolzen, so daß wir ein solares Mischwesen mit dem Körper des Skarabäus und dem Kopf eines Widders erblicken. Zu dieser Zeit der Wiedergeburt zeigt sich uns das Symbol der Sonne als fingerlutschendes Kind, dessen Fuß auf der Sonnenscheibe ruht, die im Begriff ist, über den Bergen im Osten aufzugehen.

## Das Pfortenbuch

Die Abbildungen dieses Buches gehören zu den dramatischsten der Königsgräber. Vor allem sticht das wiederkehrende Motiv der gigantischen, feuerspeienden Riesenschlange ins Auge, die als Pförtnerin über den durch Duat führenden Torweg wacht. Als Ausgangspunkt der Reise kennzeichnet der Prolog die westlichen Wüstengebirge, von dem aus Re die Unterwelt durch ein schlangenbewehrtes Tor betritt. Res jenseitige Erscheinungsform, ›Fleisch des Re‹, ist anthropomorph mit Widderkopf und Sonnenscheibe; zum Zeichen seiner Macht hat er das Szepter in Händen. In der Sonnenbarke steht er aufrecht in einem Schrein, den die Schlange ›Mehen‹ oder ›Umschlingerin‹ mit den Windungen ihres Leibes schützt. Außerdem befinden sich zwei männliche Gestalten in der Barke, personifizierte Eigenschaften des Sonnengottes: Sia oder ›Geist/Wahrnehmung‹ steht am Bug, während Heka oder ›Zauber‹ bei den Steuerrudern lehnt. Gezogen wird das Boot von vier Bewohnern der Unterwelt. Dieses Bild zieht sich als Motiv der Kontinuität durch das gesamte *Pfortenbuch*, in dem sich die sichere Reise des Sonnengottes auf dem Fluß der Duat durchgängig im mittleren Register verfolgen läßt. Das jeweils darüber und darunter liegende Register erlaubt die Sicht auf die Geschehnisse an den beiden Flußufern. In der Ersten Abteilung gleitet ›Fleisch des Re‹ an seiner Manifestation als Atum, Schöpfergott von Heliopolis, vorbei, der gerade die Vernichtung am Boden liegender oder in Fesseln vorbeimarschierender Feinde überwacht, zu deren Vergehen Eidesbruch, Mord und Blasphemie gehören. Atum ruft den Sündern die folgenden Worte zu:

> Ich bin der Sohn, den sein Vater gebar, ich bin der Vater, den sein Sohn gebar [d. h. Atum und Re bilden einen immerwährenden Kreislauf der Erneuerung]. Gebunden seid ihr mit starken Fesseln ... Eure Körper werden zerstückelt werden, eure Seelen aufhören zu sein. Nicht sehen werdet ihr die Erscheinungen Res auf seiner Reise durch die verborgenen Regionen.

Obgleich die Darstellung der Pforte, durch die Re nun in die Zweite Szenerie gelangt, ebenso wie die aller anderen, sehr stilisiert wirkt, handelt es sich doch eindeutig um die Abbildung mächtiger, zinnenbewehrter Doppelbollwerke. Sie sind mit Ornamenten verziert, die man als ›Chekuru‹ bezeichnet und die uns in historischer Zeit zum erstenmal in der Stufenpyramidenanlage König Djosers (etwa 2600 v. Chr.) in Sakkara begegnen. Im Pfortenbuch flankieren neun mumienförmige Götter die äußeren Mauern des Torwegs, zusätzliche Wachen verteidigen den Ein- und Ausgang des Weges zwischen den Bollwerken. Über jedem der Tortürme bäumt sich eine feuerspeiende Kobra auf, während eine weitere Schlange, die aufrecht auf ihrem Schwanz balanciert und vom Boden bis auf Mauerhöhe hinaufreicht, die eigentliche Pforte überwacht. Jede dieser Schutzgottheiten trägt einen Namen, und der Sonnengott, der alle geheimen Namen kennt, muß sie anrufen, um ungehindert und sicher die Regionen jenseits der Pforten betreten zu können. In der Zweiten Szenerie grüßt ›Fleisch des Re‹ zwölf Korngötter, die aus einem brennenden See steigen, der der Abschreckung von Vögeln dient; dem Korn, das ein Zauber schützt, können die Flammen indessen nichts anhaben. In der Vorstellungswelt des Mythos durchgleitet die Barke des Sonnengottes nun eine Röhre mit stierkopfartigen Ausgängen, die das Boot der Erde symbolisiert; damit wird auf die Macht Res verwiesen, aus allen Gefahren dank seiner Verwandlungsfähigkeit siegreich hervorzugehen. Auf seinen Stab gelehnt, steht Atum an

einem der Ufer, ihm zu Füßen der besiegte Erzfeind Res, die hier hoffnungslos verknäulte Apophisschlange.
Jenseits der Dritten Pforte wird der Sonnengott durch eine Region mit einigen Seen gezogen, über die Schakal- und Kobragötter wachen. Die Schakalgötter verwehren den Bewohnern der Unterwelt den Zutritt zu dem See des Lebens, denn er ist ein dem Sonnengott allein vorbehaltenes Heiligtum; der Kobra-See schützt die Flamme, die Res Feinde vertilgt. In dieser Gegend kommt ›Fleisch des Re‹ auch an Hereret vorüber, einer in kunstvolle Windungen gelegten Schlange. Sie befindet sich in einer Senke, die auf beiden Seiten von Göttinnen flankiert wird, die als ›Stunden der Unterwelt‹ bezeichnet werden. Ihre Aufgabe ist es, all das zu verschlingen, was Heret ausspeit oder gebiert, um es unschädlich zu machen.
Die Vierte Szenerie zeigt zwölf Götter, die ein langes, zu großen Teilen aufgerolltes Seil bei sich tragen. Sie ermitteln damit den Ernteertrag, vermessen Felder und teilen sie unter den Bewohnern der Unterwelt auf. Das einmütige Lob der Inschriften läßt vermuten, daß sie diese Aufgaben zur allgemeinen Zufriedenheit ausführen. Auf dem gegenüberliegenden Ufer sehen wir den Gott Horus, auch er auf seinen Stab gelehnt. Vor ihm sechzehn männliche Figuren in Vierergruppen, die laut Inschrift die vier aus ägyptischer Sicht ursprünglichen Menschenrassen repräsentieren: die ersten Vier, die als ›Herde Res‹ in Duat und in den Wüsten gelten – so daß allein sie als wahre Ägypter angesehen werden –; Vier aus dem Mittleren Osten, Bewohner Palästinas und Syriens, von denen es heißt, die löwinnengestaltige Göttin Sachmet habe sie erschaffen; Vier Nubier, die die seßhafte Bevölkerung und die nomadischen Stämme südlich des ersten Nilkataraktsbei Assuan, der natürlichen Grenze Ägyptens, repräsentieren; und schließlich Vier Libyer, ebenfalls der Göttin Sachmet zugeordnet, die die Stämme der westlichen Wüsten und der libyschen Mittelmeerküste erschuf.
Nun wird ›Fleisch des Re‹ durch die Fünfte Pforte in das Innere der Halle des Osiris gezogen. Der Gott Osiris, Herr der Duat, thront auf einem erhöhten Podest, Krummstab-Szepter und

Anch, das Zeichen des ewigen Lebens, in Händen. Vor ihm eine Waage, die auf den Schultern einer mumienförmigen Gottheit ruht und dazu dient, die Herzen jener zu wiegen, die Bewohner der Duat werden möchten. Die Waage soll anzeigen, ob der irdische Lebenswandel der Bewerber es erlaubt, ihnen dieses Privileg zuzusprechen. In der Abbildung eines in einem Papyrusboot stehenden Schweins, das von einem Affen geschlagen wird, begegnen wir Seths Demütigung durch Osiris in symbolischer Darstellung wieder. Nachdem der Sonnengott die Halle der Fünften Abteilung hinter sich gelassen hat, wird er Zeuge der erfolgreichen Abwehr der Apophisschlange, die gerade von zwölf Göttern fortgetragen wird. Aus ihrem Leib ragen Menschenköpfe hervor, die die Opfer des Feindes repräsentieren; die Macht Res erweckt jedoch alle wieder zum Leben. Letztendlich bleibt die Apophisschlange, obgleich unzählige Male besiegt, unzerstörbar, wie es schon ihre Charakterisierung als ›augenlos, nasenlos, ohrlos, ihr Atem das eigene Getöse, ihre Nahrung das eigene Gebrüll‹ vermuten läßt. Etwas weiter vorn ziehen zwölf Götter einer Gottheit namens Aken ein gedrehtes Seil aus dem Mund, wobei jeder Strang des Seils für eine Stunde der Unterwelt steht.

Nun erreicht ›Fleisch des Re‹ die Sechste Szenerie. Er wird an schakalköpfigen Pfählen vorübergezogen, an die einige seiner Feinde gefesselt sind, deren Enthauptung direkt bevorsteht. Am Ufer kümmern sich einige Götter und Schnitter mit Sicheln um Ähren und Getreide, damit Re und Osiris angemessene Speise- und Bieropfer dargebracht werden können. Hinter der Siebten Pforte sieht man wiederum Götter mit einem aufgerollten Seil, aus dem Embleme wie Peitschen, Sterne, Falken- und Menschenköpfe hervorragen. Re zu Ehren veranstalten sie Mysterien, deren Natur uns die Inschriften jedoch nicht verraten.

Im Gegensatz zu der eher gemächlichen Siebten Szenerie geht es hinter der Achten Pforte äußerst handlungsbetont zu. Zuerst erblickt Re einen Götterrat aus zwölf Göttern, die auf ihrer Flammeninsel neun menschliche Seelen, als Vögel mit Menschenarmen und -köpfen dargestellt, mit Nahrung versorgen. Dann nähert er sich seiner Atum-Gestalt, die auf ihren Stab gelehnt einen Tümpel betrachtet, in dem einige Männer reglos ausgestreckt liegen. Es sind Wassergötter, die mit der Urflut in Verbindung stehen. Damit sie in dem Element, das sie eigentlich mit ihren göttlichen Kräften kontrollieren sollen, nicht gänzlich bewegungslos verharren, verleiht Re ihnen Atem, Bewegung und die Fähigkeit zu schwimmen. Am anderen Ufer ist Horus dabei, einer feuerspeienden Schlange, aus deren Leibeswindungen mumienförmige Gottheiten hervortreten, eine Herde von Feinden entgegenzutreiben. Diese Feinde des Sonnengottes haben die Kultzeremonien seines Tempels entheiligt, weshalb Horus die Schlange auffordert, ihr »Maul zu öffnen, Flammen zu speien . . ., ihre Leichname zu verbrennen, ihre Seelen mit Feuersbrünsten zu verzehren«.

In der Neunten Szenerie folgt ›Fleisch des Re‹ einigen Göttern, die, Netze und Speere schwingend, vor Re herziehen, um die Apophisschlange zu vernichten, die dem Sonnengott auf seinem Weg auflauert. Am Ufer erblickt er die Kronen von Ober- und Unterägypten und, auf dem Rücken eines löwenähnlichen Wappentieres, den Gott ›Seine zwei Gesichter‹, auf dessen Hals sowohl der Kopf des Horus als auch der des Seth sitzen. Dieser Doppelkopf symbolisiert die friedliche Vereinigung der beiden Länder und deutet auf das Fehlen eines Konflikts zwischen den beiden traditionellen Gegnern hin.

Jenseits der Zehnten Pforte schließt sich ›Fleisch des Re‹ einer Prozession an, in der ein anderes Boot mitfährt, das ein nach vorne blickendes, männliches Haupt trägt. Es ist das ›Gesicht der Scheibe‹, ein Element des Sonnengottes selbst auf seiner Reise zur Wiedergeburt. Am Ufer spielt sich wiederum eine dramatische Unterwerfung der Apophisschlange ab: Das Haupt der Schlange wird gerade von der Skorpiongöttin Selkis gefesselt, deren Leib sich an der Kette entlangstreckt. Sechzehn Götter haben sich auf den Schlangenleib gestellt und halten die Kette fest, wobei sie von einer riesigen, aus dem Boden ragenden Faust unterstützt werden – bei dieser wilden und bösartigen Kreatur, so scheint es, will man doch lieber ganz sichergehen. Am Schwanzende steht Osiris, vor dem sich der Schlangenleib aufbäumt und den Blick auf vier Schlangenjunge freigibt, die ebenfalls in Ketten liegen. Fünf Figu-

ren, die den Erdgott Geb und die Horussöhne darstellen, sorgen an diesem Ende für zusätzlichen Schutz.
Neben einem neuerlichen symbolischen Sieg über den Erzfeind in der Elften Szenerie sehen wir, wie vier Paviane die Ankunft Res am östlichen Horizont ankündigen. Die Zwölfte und letzte Etappe faßt den ewigen Kreislauf der Wiedergeburt des Sonnengottes noch einmal bildlich zusammen. Die Gottheit Nun hebt aus ihren Urfluten eine Barke empor, in der der Sonnengott als Skarabäus Chepre und als Sonnenscheibe auf die Fahrt geht. Über Nun wölbt sich die Himmelsgöttin, deren Füße auf dem Haupt des Osiris ruhen, der Duat symbolisiert. Um den erfolgreichen Abschluß der Reise des Sonnengottes hervorzuheben, schiebt sich dort eine Sonnenscheibe aus dem Wüstensand, wo Re sich im Morgengrauen emporhebt.

Aus heutiger Sicht werden uns diese drei komplexen religiösen Zyklen zunächst reichlich absonderlich vorkommen. Man mag versucht sein, sie als wirre Ansammlung verstümmelter Inschriften und endlose Reihung von Titulaturen und Namen abzutun – doch ist die ungehinderte Reise des Sonnengottes durch Duat eine der zentralen Säulen des ägyptischen Glaubens. Denn was jenseits der mumienförmigen Götter in ihren Sarkophagen, der Hinrichtungen und der Vernichtung des Erzfeindes liegt, ist das Reich des Lebens. Für die alten Ägypter ist Duat keineswegs eine Region der Verzweiflung und Finsternis; auf den Geist der folgenden Zeilen hätten sie wohl nur mit erstauntem Unverständnis reagieren können:

Dies ist das tote Land
Dies ist Kaktusland
Hier sind die steinernen Bilder
Errichtet, hier empfangen sie
Das Bittgebet von der Hand eines Toten
Unter dem Funkeln eines verlöschenden Sterns.

(Aus: T. S. Eliot, *The Hollow Men*)

Diese düstere Stimmung hätten die alten Ägypter zurückgewiesen, denn für sie ist Duat schließlich der Ort der Verschmelzung zweier großer Götter – Re wird Osiris und Osiris wird Re. Der Gott der Unterwelt ist die jenseitige Form des Sonnengottes, aus der die Sonne stets neu geboren wird. In Spruch 17 des *Totenbuchs* finden wir folgende Äußerung und erklärenden Kommentar:

> Ich bin das Gestern. Ich kenne das Morgen.
> Was bedeutet das?
> Was ›Gestern‹ betrifft – Osiris ist es.
> Was ›Morgen‹ betrifft – Re ist es.

Die Reise von ›Fleisch des Re‹ durch die Unterwelt stellt den Prozeß dar, in dem sich die Energien des Sonnengottes für seine Wiedergeburt als Chepre erneuern. Leben und Tod bilden ein Kontinuum, in dem eines fortwährend das andere hervorbringt.

## Stationen der Unterweltsreise des Sonnengottes im *Pfortenbuch*

| *Szenerie* | *Wächterschlange* | *Name der Pforte* |
|---|---|---|
| 1 | Wächter der Wüste | Die mit verborgenem Namen (Osiris) |
| 2 | Umwickler | Stark von Flammen |
| 3 | Stechender | Herrin der Nahrung |
| 4 | Flammengesicht | Tatkräftige |
| 5 | Flammenauge | Herrin der Kontinuität |
| 6 | Pfeilschnell von Auge | Thron ihres Herrn |
| 7 | Verborgen von Auge | Gleißende |
| 8 | Flammengesicht | Glutrot |
| 9 | Erd-Stoßzahn | Verzückt in Ehrfurcht |
| 10 | Feßler | Heilige |
| 11 | Ausströmender | Verborgen von Zugang |
| 12 | Der der Morgenröte und Umwickler | Heilig an Macht |

## Von der Historie zur Legende

Die folgenden Personen, deren Existenz jeweils archäologisch belegt ist, wurden aus der Geschichte in die Legende transponiert, indem man sie posthum zum Mittelpunkt eines Kultes oder einer Erzählung machte.

### Imhotep

Der erste monumentale – und in der Größe seines Entwurfs unübertroffene – Steinbau der Welt, die Anlage der Stufenpyramiden König Djosers (2630–2611 v. Chr.) in Sakkara, entstand unter der Leitung des Großwesirs Imhotep. Die Pyramide selbst steigt stufenförmig an und repräsentiert die mächtige Treppe, auf der die Seele des verklärten Monarchen in den Himmel aufsteigt; die umgebenden Gebäude dienten ursprünglich der Versorgung des Tempels bei der königlichen Kultfeier und der Schreine und Kioske bei den unzähligen Jubiläumsfeiern König Djosers. Auf der Kalksteinbüste einer verschollenen Statue des Monarchen, der auf seinen Denkmälern mit dem Namen ›Neterichet‹ bezeichnet wird, sind Name und Titel Imhoteps erhalten:

> »Siegelbewahrer des Königs von Unterägypten, einer, der dem Haupt des Königs nahe ist [d. h. Wesir], Vorsteher des Großen Hauses, Königlicher Stellvertreter, Oberpriester von Heliopolis, Imhotep, der Tischler und Bildner. [...]«

*Die Stufenpyramide in Sakkara, von dem ›historischen‹ Imhotep für König Djoser erbaut. Um 2600 v. Chr.*

Die Inschriften einiger Steingefäße, die sich in den Hallen etwa 30 m unter der Pyramide fanden, fügen diesen Titeln noch den des ›Obersten Vorlesepriesters‹ hinzu; Imhotep bekleidete folglich nicht nur das höchste Verwaltungsamt des Staates, sondern stand dazu an der Spitze der religiösen Hierarchie. Neben der Konstruktion des Pyramidenkomplexes war Imhotep für den Bau des von Djoser in Auftrag gegebenen Hauptkultzentrums für den Sonnengott von Heliopolis verantwortlich, von dem bedauerlicherweise nur einige Relieffragmente von hochrangiger Qualität erhalten sind. Auch eine Einfassungsmauer der unvollendet gebliebenen Pyramide König Sechemchets (2611–2603 v. Chr.), des Nachfolgers von König Djoser, trägt den Namen Imhoteps. Da dies der späteste historische Beleg für ihn ist, können wir davon ausgehen, daß Imhotep vor etwa 4600 Jahren starb.

Imhoteps Ruhm als erfahrener Architekt und Baumeister bewog

*Sitzfigur des Imhotep als Verkörperung gelehrter Weisheit. Bronze, Spätzeit*

die Mitglieder des Schreiberstandes, ihn zum Hervorragendsten ihrer Zunft zu ernennen. Er galt als Quelle geistiger Inspiration, und eine Reihe moralischer Maximen sollen auf ihn zurückgehen. So enthält etwa die teils hedonistische, teils pessimistische Schrift, die als *Das Lied des Harfners* bekannt ist und deren beste Abschrift sich im *Papyrus Harris 500* im Britischen Museum befindet, Verweise auf die Weisheitslehre des Imhotep:

> Ich hörte die Worte des Imhotep und des Djedefhor [ein Sohn König Cheops'], deren Lehren man oft zitiert – doch wie ist es um ihre Denkmäler bestellt? Die Mauern sind zertrümmert, ihre Stätten verschwunden, gerade so, als seien sie nie gewesen.

Wenn dieses Lied, wie es in der Einleitung heißt, tatsächlich in der Regierungszeit eines Monarchen namens Intef verfaßt wurde, dann war das Grab Imhoteps im Jahre 2000 v. Chr. schon im Verfall begriffen oder sogar verschollen. Wie auch immer, sein Name ging keineswegs unter, sondern lebte in seinen Schriften fort, wie ein anderes Dokument belegt, das sich ebenfalls im Besitz des Britischen Museums befindet. Als Werbeschrift für den Schreiberstand verfaßt, beruft es sich auf illustre Namen, um Verdienst und Unsterblichkeit von Literatur zu demonstrieren:

> Herrlicher ist ein Buch als das Haus eines großen Baumeisters oder ein Grab in der westlichen Wüste. ... Wo gibt es heute einen wie Djedefhor? Wer kann sich mit Imhotep messen? ... Jene Weisen, die die Zukunft prophezeiten ... Fort sind sie, und ihre Namen mögen aus der Erinnerung schwinden – doch ihre Schriften halten ihr Andenken wach.

Im Lauf der ägyptischen Geschichte genoß Imhotep nicht nur Verehrung als Weiser; sein Status wurde zusätzlich aufgewertet und seine Geburt später mit dem direkten Eingreifen eines der Hauptgötter in Verbindung gebracht. Er wurde zum ›Sohn des Ptah‹, des Schöpfergotts von Memphis, erklärt, der sich in seiner Eigenschaft als Schutzgott der Handwerker besonders als Erzeuger eines

solchen für seine bildnerischen Leistungen berühmten Nachkommen anbot. Gut belegt ist ein ausgeprägter Kult um Imhotep, Sohn des Ptah, für die XXVI. Dynastie in Memphis und Sakkara. Hunderte von bronzenen Weihefiguren zeigen ihn in einer Ikonographie, die Weisheit und göttliche Abkunft subtil betont. Er hält eine Papyrusrolle auf den Knien, trägt einen langen Leinenschurz und ein enganliegendes Käppchen auf dem Haupt. Die Papyrusrolle gilt als Symbol für die Quellen des Wissens, die den Schreibern im ›Lebenshaus‹, wo zumindest in den wichtigen Tempeln theologische Schriften und wissenschaftliche Werke verfaßt und kopiert wurden, anvertraut waren; die Kopfbedeckung setzt Imhotep mit Ptah gleich, und das priesterliche Leinengewand symbolisiert seine religiöse Reinheit.
Imhoteps Haupttempel befand sich in Nord-Sakkara, mit einem südwestlich des großen Ptah-Tempels gelegenen Nebenheiligtum in Memphis. In der ptolemäischen Periode hatte sich sein Kult jedoch schon bis in den Süden nach Theben ausgebreitet, wo Imhotep im Tempel des Ptah zu Karnak verehrt wurde; unter dem römischen Kaiser Tiberius wurde das vierte Tor vor dessen Tempel mit einer kunstvollen Lobeshymne auf Imhotep versehen. In Theben genoß er die gleiche Verehrung wie Amenophis, Sohn des Hapu, vergöttlichter ›Lenker aller königlichen Arbeiten‹, der unter Pharao Amenophis III. (1403–1365 v. Chr.) lebte. Im Tempel zu Deir el-Medine in West-Theben ist Imhotep gemeinsam mit seiner mythischen Mutter Chereduanch abgebildet, die hier in der Gestalt der Göttin Hathor erscheint. Um die bei den Ägyptern so beliebte Triade zu vervollständigen, stellte man Imhotep ein Weib namens Renpet-nefret, ›Schwester des Gottes‹, an die Seite.
Je mehr sich sein Kult verbreitete, desto wichtiger wurde Imhoteps Rolle als Ahnherr der Ärzte, leicht im griechischen Asklepios wiederzuerkennen. Dieser Aspekt stand vor allem in der ihm geweihten ptolemäischen Kultstätte in West-Theben im Vordergrund, ebenso wie auf der oberen Terrasse des Hatschepsut-Tempels zu Deir el-Bahri und im Hathor-Tempel zu Dendera, wo Imhotep in einer bedeutenden Lobeshymne mit der dort befindlichen Heilstätte in Verbindung gebracht wird. Andernorts können wir

Bestrebungen erkennen, die Vergöttlichung Imhoteps zu untermauern, indem man etwa seiner Mutter Chereduanch in einer Entwicklung, die an den Statuszuwachs der Jungfrau Maria unter frühchristlichen Theologen erinnert, eine direkte göttliche Abkunft zusprach. In einer im Delta gelegenen Stadt erklärte man sie etwa zur Tochter des heiligen Widdergottes von Mendes, Banebdjedet.

Eine zentrale Rolle spielte der Kult des Imhotep für Ehepaare, die sich einen Sohn wünschten. Die wohl anrührendste Stele aus der Sammlung des Britischen Museums zeigt ein schönes Beispiel der vermittelten, doch wirksamen Zeugungskraft Imhoteps. Auf dieser Stele ist die Biographie einer Frau namens Taimhotep eingegraben, die 73 v. Chr. während der Regierungszeit Ptolemaios' XII. Neos Dyonisos geboren wurde und sich im Alter von vierzehn Jahren mit Pserenptah, Hohenpriester des Ptah von Memphis, verheiratete. Nachdem sie drei Töchter zur Welt gebracht hatte, beteten die Eheleute zu Imhotep, Sohn des Ptah, und baten um einen Sohn. Hierauf erschien Imhotep dem Pserenptah im Traum und schlug ihm folgenden Tauschhandel vor: Pserenptah solle eine reichhaltige Verschönerung im Heiligtum des Imhotep in Ankhtawi (der Nekropole von Memphis, wo Imhotep bestattet wurde) vornehmen, im Gegenzug würde ihm die Geburt eines Sohnes garantiert werden. Pserenptah gab sofort eine goldene Statue in Auftrag und weihte sie der Kultstätte Imhoteps. Tatsächlich wurde Taimhotep bald darauf mit einem Knaben schwanger, und am Fest des Imhotep gebar sie Pedibast. Ihre Mutterfreuden waren jedoch nur von kurzer Dauer, denn sie starb 42 v. Chr., in ihrem dreißigsten Jahr. Eine bewegende Klage über die Unausweichlichkeit des Todes bestimmt den verbleibenden Text der Stele. Abgesehen von diesem traurigen Ende veränderte das wohlwollende Eingreifen Imhoteps das Leben des Paares zum Positiven. Diese Unmittelbarkeit bei der Lösung menschlicher Probleme, oft medizinischer Natur, war es denn auch, die Imhotep bis in die römische Periode große Popularität sicherte.

## General Djehuti

Die Vormachtstellung Ägyptens über ein Gebiet, das sich vom Sudan bis nach Syrien hinzog, wurde von Thutmosis III. in seinen Feldzügen entweder durch kriegerische Machtausübung als Besatzer oder vorteilhafte Handelsabkommen gesichert. Vor allem die Schlacht vor der kanaanitischen Stadt Megiddo gegen eine mittelöstliche Allianz und die nachfolgende siebenmonatige Belagerung führte zu der Kapitulation von 330 feindlichen Fürsten. Trotz dieses Sieges fühlte sich der Pharao zu einer regelmäßigen Zurschaustellung seiner militärischen Macht auf der Levante und zu häufigen Strafexpeditionen gegen die syrische Armee genötigt. Mitunter erfahren wir Einzelheiten über Mitglieder seiner Armee, so etwa über Amenemhab, der auf einer Jagd nahe dem Euphrat das Leben des Monarchen rettete, indem er mutig einen angreifenden Elefanten erlegte.
Danach können wir davon ausgehen, daß General Djehuti ein geschätzter Krieger im Generalstab des Pharao war. Die Inschriften seines thebanischen Grabes vermitteln uns eine Vorstellung von seinem historischen Rang:

> »Im Gefolge des Königs in allen Fremdländern ... Aufseher über die nördlichen Länder ... Versorger der Lagerhäuser mit Lapislazuli, Silber und Gold.«

Djehuti hatte das Amt eines Gouverneurs im Mittleren Osten also zu einem Zeitpunkt inne, als Ägypten sich auf dem Höhepunkt seiner Macht befand und eine weitreichende Kontrolle über ausländische Reichtümer ausübte. So erhielt Ägypten etwa Lapislazuli aus Afghanistan und Silber aus Minen in Anatolien. Es war wohl Djehutis posthumer Ruhm, der ihn zum Helden einer Episode werden ließ, die zwar zur Zeit der Eroberungszüge Thutmosis' III. stattgefunden haben soll, doch wahrscheinlich eher fiktionaler als historischer Natur ist. Die Quelle der Erzählung, ein ramessidischer Papyrus, der sich im Besitz des Britischen Museums befindet, wurde mindestens 150 Jahre nach Djehutis Tod abgefaßt.

Ort der Handlung ist die belagerte Hafenstadt Joppe an der Küste Palästinas. Djehuti steht mit dem Fürsten von Joppe in Verhandlung und will ihm glaubhaft machen, er, Djehuti, beabsichtige mitsamt seiner Familie, zum Gegner überzulaufen und in das feindliche Lager zu kommen. Zum Beweis der Aufrichtigkeit Djehutis verlangt der Fürst von Joppe das Szepter Thutmosis' III. zu sehen, das in dem Zelt des ägyptischen Oberkommandos verwahrt wird. Tatsächlich bringt ihm Djehuti das Szepter, indessen nur, um dem Fürsten damit einen betäubenden Schlag auf den Kopf zu versetzen und ihn dann in eiserne Fesseln zu legen. Die List, deren Djehuti sich nun bedient, gleicht der Ali Babas im gleichnamigen Märchen: Djehuti bringt zweihundert Soldaten auf, die, mit Ketten und Fesseln versehen, in zweihundert versiegelten Körben versteckt, von fünfhundert Mann getragen werden. Die Soldaten haben den Auftrag, unbemerkt in Joppe einzudringen und die Bewohner der Stadt zu überwältigen. Nun richtet Djehuti es so ein, daß dem Boten des Fürsten von Joppe eine Falschmeldung über eine Gefangennahme Djehutis und seiner Familie durch die fürstlichen Truppen zugespielt wird. Die zweihundert Körbe sollen angeblich einen Teil des für die Stadt bestimmten Lösegeldes enthalten. Diese Botschaft wird der Fürstin von Joppe übermittelt, die prompt anordnet, die Stadttore zu öffnen und die zweihundert Körbe samt Trägern passieren zu lassen. Einmal in der Stadt, überrennen die ägyptischen Soldaten Joppe, binden die Einwohner und machen sie zu ihren Gefangenen. Der Papyrus schließt mit einem Brief Djehutis an Thutmosis III., in dem er den Pharao über den errungenen Sieg in Kenntnis setzt; zudem enthält er den Vorschlag, die Sklaven, die man diesem kriegerischen Erfolg verdankt, dem Tempel Amun-Res zu stiften.

## Ramses II. und die Hethiterprinzessin

Die große Masse monumentaler Denkmäler, Tempel, Statuen und Stelen, die vom Nildelta bis hinunter nach Nubien an diesen Herrscher erinnern, machen es für jeden Betrachter deutlich, daß Ägypten einst von Ramses II. (1290–1224 v. Chr.) beherrscht wurde. Auch die außergewöhnliche Opulenz seiner Delta-Residenz ist auffällig und inspirierte einst wahre Lobeshymnen wie die folgende:

> In ihren Grenzen geht die Sonne auf und unter. Ihr Westen ist der Tempel des Amun, ihr Süden der Tempel des Seth, die Göttin Astarte leuchtet in ihrem Osten und die Göttin Wadjet erscheint in ihrem Norden.

An den Mauern und mächtigen Tempeltoren oder Pylonen der meisten seiner Tempelanlagen findet man die offizielle Version der Schlacht des Pharao gegen die Hethiter bei Kadesch am Fluß Orontes im Jahre 1285 v. Chr. Doch obwohl die Propaganda ein Loblied auf Ramses' Heldenmut singt, weiß man, daß seine Bemühungen, die Hethiter aus Syrien und dem Libanon zu vertreiben, nicht von Erfolg gekrönt waren. Nach einer Periode des Kalten Krieges schlossen Ägypter und Hethiter schließlich einen Nichtangriffspakt, der im Namen der jeweiligen Staatsgötter 1269 v. Chr. unterzeichnet wurde. Aus Karnak, Elephantine und Abu Simbel stammende Stelen verkünden dreizehn Jahre später die völkerverbindende Heirat zwischen Ramses II. und der Tochter des Großfürsten von Hathi, des hethitischen Monarchen. Die vollständige Aussöhnung der beiden ehemaligen Erzfeinde ist nunmehr sowohl durch ein rechtmäßiges Vertragswerk als auch durch eine diplomatische Heirat gesichert. Der ägyptische Bericht über das Zustandekommen dieser Eheschließung behauptet allerdings, der Großfürst von Hathi habe sich erst dann dazu entschlossen, seine Tochter und obendrein unbegrenzten Tribut nach Ägypten zu senden, als ihm die Befürchtung kam, der Einfluß Ramses' II. auf den hethitischen

Sturmgott sei für die langanhaltende Dürre in seinem Land verantwortlich.
Der Pharao bittet darauf den Gott Seth, er möge für die Dauer der Reise der Prinzessin den Himmel frei von Stürmen halten. Als der Monarch die Prinzessin bei ihrer Ankunft in Ägypten zum erstenmal erblickt, ist er von ihrer Schönheit so eingenommen, daß er sie zur ›Großen Königlichen Gemahlin, Maat-nefru-Re‹ ernennt. Später gesellt sich ihr eine zweite hethitische Prinzessin zu, mit der sich Ramses II. ebenfalls vermählt; ihre Tage beschließt sie im königlichen Harem in der Provinz Faijum.
Mit Hilfe einer ptolemäischen Stele aus dem Louvre läßt sich tausend Jahre nach der historischen Eheschließung verfolgen, wie Ramses II. und seine Königin Maat-nefru in das Reich der Legende eingingen. Die Stele wurde in dem versunkenen Heiligtum nahe dem Chons-Tempel in Karnak entdeckt und ist eine von Priestern angefertigte Fälschung. Die Priester waren mit den historischen Fakten um die Hethiterprinzessin soweit vertraut, daß sie sogar einen Teil ihres ägyptischen Namens zu reproduzieren wußten. Der Zweck der Stele scheint ein doppelter gewesen zu sein: Zum einen sollte eine bestimmte Rangfolge zwischen den beiden Erscheinungsformen des Chons festgelegt werden; zum anderen huldigte man angesichts neuerlicher persischer und griechischer Eroberungen in Ägypten mit dieser Erzählung einem untergründigen Nationalismus, indem die Handlung der Geschichte in die Ära Ramses' II. und damit in eine Zeit verlegt wurde, in der sich der ägyptische Thron im Besitz eines einheimischen Herrschers befand.
Die Stele setzt mit einer Vermischung der königlichen Titulatur von Ramses II. und Thutmosis IV. ein. Es folgt die Behauptung, Ramses II. befinde sich in Naharia, einer Gegend am oberen Euphrat. Der historische Ramses II. dagegen konnte nicht an die Erfolge von Thutmosis I. und Thutmosis III. anknüpfen und wie sie an den Ufern des Euphrat Stelen aufstellen lassen. Die Hethiter machten derartige von Ramses gehegte Hoffnungen in Nordsyrien und in der Schlacht von Kudesch zunichte. Im Text dieser Stele erhält Ramses II. jedoch reichen Tribut an Lapislazuli, Türkis

*Kopf und Schultern des Pharaos Ramses II. (1290–24 v. Chr.) in Granit. Durch eine diplomatische Heirat stärkte er die Allianz mit den Hethitern*

und wertvollen Edelhölzern, vor allem aber die älteste Tochter des Prinzen von Bachtan. Inwieweit es sich bei Bachtan um einen rein imaginären Ort handelt, ist noch nicht endgültig geklärt, einiges spricht jedoch dafür, daß auch Baktrien gemeint sein könnte. Die Schönheit der Prinzessin entzückt Ramses II. so, daß er ihr umgehend den Titel ›Große Königliche Gemahlin, Nefru-Re‹ verleiht.

Als der Pharao später zu Ehren des Amun-Re von Theben das ›Schöne Fest des Tals‹ begeht, trifft ein Bote aus Bachtan mit Geschenken für die Königin ein. Er überbringt indessen auch die schlechte Nachricht von einer gefährlichen Erkrankung Bentreschs, der jüngeren Schwester der Königin. Möglicherweise ist dieser Name eine Mischform aus Ägyptisch und Kanaanitisch und bedeutet etwa ›Tochter der Freude‹ – bei dieser Deutung ergäbe sich sogar eine Übereinstimmung mit dem Namen der historischen Tochter-Gattin Ramses' II., Bintanat. Auf die Nachricht des Boten hin läßt Ramses gelehrte Residenzbeamte und die Weisen aus dem Lebenshaus kommen, schließlich ist die Creme der Gelehrten, Ärzte und Zauberer versammelt. Der königliche Schreiber Thoth-em-heb wird beauftragt, nach Bachtan zu reisen, um die Krankheit der Prinzessin genauer zu diagnostizieren (der ägyptischen Heilkunst ging überall im Nahen Osten ein guter Ruf voraus; der ägyptische Obermedicus Wadjahorresne verbrachte beispielsweise kurz vor der Abfassung dieser Stele, während der persischen Herrschaft über Ägypten, einige Zeit am Hofe Darius' I. in Persien). Thoth-em-heb stellt fest, daß Bentresch von bösen Geistern besessen ist, mit denen sich nur ein Gott messen kann. Bachtan aber liegt so weit ab, daß drei Jahre vergehen, bevor die Bitte um göttlichen Beistand Ramses II. endlich erreicht.

Nun wird der Gott Chons, Sohn des Re, zu Rate gezogen, bei dem Ramses für die Prinzessin Bentresch bittet. Obwohl die erste und älteste Form des Chons eigentlich ›Chons in Theben Neferhotep‹ ist, kommt die ersehnte Antwort hier – durch die Manipulation der Priester in diesem Papyrus – von einer anderen, auf Dämonenaustreibung spezialisierten Erscheinung des Gottes, ›Chons der Wohltäter‹ genannt. Aufgrund einer rituellen Neigung des

Götterbildes (Nicken) wird die Entscheidung gefällt, die Statue ›Chons des Wohltäters‹ mit einer großen Flotte, Pferden und Streitwagen nach Bachtan zu entsenden und ihr zum Schutz mehrere Amulette des älteren Chons beizugeben. Der Gott erreicht Bachtan siebzehn Monate später; seine Heilkraft wird sogleich wirksam, die Prinzessin gesundet und ist vollkommen wiederhergestellt. Der Oberdämon, Verursacher der Krankheit der Prinzessin, erkennt die größere Macht des Chons an und überzeugt diesen erstaunlicherweise davon, den Prinzen von Bachtan zu veranlassen, ihm, dem Dämon, zu Ehren ein Fest ausrichten zu lassen. Indessen möchte der Prinz die Statue des Gottes nicht mehr missen und hält sie drei Jahre und neun Monate in seinem Land zurück. Doch eines Nachts wird er von einem Traum heimgesucht, in dem sich der Gott in Gestalt eines goldenen Falken aus seinem Schrein heraus in den Himmel erhebt und in Richtung Ägypten davonfliegt. Der Monarch erkennt, daß er falsch gehandelt hat, und sendet das Götterbild mitsamt reichen Tributabgaben zurück nach Theben. Bei seiner Ankunft überreicht ›Chons der Wohltäter‹ diese Gaben aus Bachtan dem älteren ›Chons in Theben Neferhotep‹, abzüglich einiger weniger Stücke, die die Priesterschaft als Lohn für die mühevolle Reise zurückbehält.

## Märchen und phantastische Erzählungen

In den folgenden Geschichten demonstrieren die Schreiber ihre Kunst, mit der erzählerischen Ausgestaltung von unerhörten Abenteuern, wundersamen Begebenheiten, Zauberkünsten und exotischen Schauplätzen ein Medium zu schaffen, dem täglichen Einerlei zu entfliehen. Obgleich diese Papyri zu dem wertvollen Erbe der altägyptischen Literatur zählen, sind ihre Ursprünge in den mündlichen Überlieferungen der fahrenden Geschichtenerzähler zu suchen. Die mündlichen Traditionen, aus denen sich die schriftlich fixierten Texte herleiten, gehörten als Unterhaltungsmedium zum ägyptischen Dorfleben. Wenngleich diese Erzählungen in den Händen der Schreiber an Kunstfertigkeit gewannen, brachte man ihren bescheideneren Quellen nie Mißachtung entgegen. Der Wesir Ptahotep, selbst Verfasser einer Weisheitslehre etwa 2400 v. Chr., bemerkt: »Die Kunst der schönen Rede ist fürwahr selten, doch ist es wohl möglich, sie aus dem Mund des Weibes zu vernehmen, das den Mühlstein dreht.«

Ein Zyklus von Zaubermärchen, der uns in die Pyramidenzeit, genauer in die IV. Dynastie (etwa 2550 v. Chr.) versetzt, ist im Berliner Papyrus 3033 erhalten. Allgemein als *Papyrus Westcar* bekannt, wurde dieses Dokument nach seinem vormaligen Besitzer, einem englischen Reisenden, der es auf einer Ägyptenreise 1823 bis 1824 erwarb, benannt. Der Papyrus ist im klassischen Ägyptisch des Mittleren Reichs abgefaßt, obgleich er etwas später angefertigt, aus dem frühen 16. Jahrhundert v. Chr. stammt. Der wichtige historische Kontext, in den diese Erzählungen eingebettet sind, wurde von dem Schreiber mit Unterhaltungselementen verquickt. Diese speisen sich aus den Wundertaten großer Zauberer, deren Ruhm bei Abfassung dieser Schrift schon beinahe tausend Jahre überdauert hatte. Ursprünglich waren es fünf Erzählungen, die erste ist jedoch bedauerlicherweise vollständig verlorengegangen und die zweite nur sehr fragmentarisch überliefert, so daß wir erst mit der dritten einsetzen können. Hier erzählt Baufre, ein Sohn König Cheops' (etwa 2250 v. Chr.), des Erbauers der großen Pyramide von Gise, von der Wundertat eines Magiers am Hofe König Snofrus, dem Vater des Cheops.

## Djadja-em-anch und die Macht über das Wasser

Eines Tages wanderte König Snofru – ein durch zahlreiche Inschriften wohlbekannter Herrscher und Erbauer zahlreicher Pyramiden bei Medum und Dahschur – von Langeweile geplagt in seinem Palast umher. Schließlich schickte er nach Djadja-em-anch, seinem Obersten Vorlesepriester. Wörtlich lautet dieser Titel ›Der das Ritualbuch hält‹ und bezeichnete einen Beamten, der dazu ausersehen war, bei religiösen Feierlichkeiten oder Begräbnissen die Zeremonialpapyri zu halten. Dies konnte entweder bei dem Vortrag der Liturgie im Tempel der Fall sein oder aber am Grab bei der Rezitation des Spruchs für die Mundöffnung, durch die dem Leichnam gewisse Lebensfunktionen auf magische Weise zurückerstattet wurden.
Hier nun erscheint Djadja-em-anch in der Rolle des Hofmagiers, der seine Zaubersprüche auf einem Papyrus bei sich trägt. Snofru bittet den Magier um eine Aufheiterung, und Djadja-em-anch macht dem König den Vorschlag, er solle sich ein wenig an die frische Luft und in die liebliche Umgebung des Palastes begeben, wo der schöne Ausblick und vielerlei Wildvögel sicher zu seiner Erheiterung beitragen würden – zumal wenn dazu einige schöne junge Mädchen aus dem königlichen Harem vor dem König auf dem See auf und ab ruderten. Der Monarch ist von dieser Idee begeistert und läßt ein Boot bringen, in das zwanzig Mädchen steigen, die noch nicht geboren haben, fein geflochtenes Haar und eine

kurvenreiche Figur besitzen. Damit nicht genug, läßt der König die üblichen Leinengewänder der Mädchen mit Netzen aus Fayenceperlen vertauschen. Die Mädchen erhalten mit Blattgold überzogene Ruder und beginnen, vor dem Pharao auf dem See umherzurudern.

Das geht solange gut, bis einem der Mädchen, das mit seinem geflochtenen Haar spielt, ein Fischanhänger aus wertvollem Türkis in den See fällt. (Einige dieser Fischanhänger sind heute in Sammlungen verschiedener Museen vorhanden.) Bestürzt hält sie mit dem Rudern inne und bringt das Boot zum Halten. Als Snofru den Grund für die Unterbrechung erfährt, erklärt er sich sogleich bereit, den verlorenen Anhänger zu ersetzen, um sich weiter ungestört an dem Schauspiel der rudernden Mädchen zu ergötzen. Wir wissen, daß Snofru ein ansehnlicher Vorrat an Türkisen zur Verfügung gestanden haben muß, da er wiederholt Expeditionen zu den Türkisminen von Maghara auf der Sinai-Halbinsel aussandte. Das Mädchen antwortet ihm indessen mit einer volkstümlichen Redewendung: »Mein Topf ist mir lieber als sein Ersatz«, womit sie dem König bedeutet, daß sie den verlorenen Türkis für außergewöhnlich schön und gänzlich unersetzbar hält. Gereizt gibt der König seinem Magier zu verstehen, daß er dieses Problem zu lösen habe, da der ganze Ausflug schließlich seine Idee gewesen sei. Gehorsam spricht Djadja-em-anch sogleich eine Zauberformel, deren Wortlaut uns der Papyrus jedoch leider vorenthält. Der See hat eine Tiefe von über sechs Metern, doch den Worten des Magiers gehorchend, klappt sich die eine Hälfte der Wassermassen auf die andere, und eine zwölf Meter hohe Wasserwand türmt sich auf. Der Grund des Sees wird sichtbar, und der Anhänger kommt zum Vorschein. Djadja-em-anch holt das Schmuckstück und erstattet es dem beglückten Mädchen zurück; mit einem anderen Zauberspruch gibt er dem See seine ursprüngliche Gestalt wieder. Die überstandene Aufregung ist Anlaß für ein fröhliches Fest, und Djadja-em-anch wird für den gelungenen Einsatz seiner Zauberkräfte reich belohnt.

## Djedi und der Zauber der Wiederbelebung

In der nächsten Geschichte ist es ein weiterer Sohn König Cheops', Djedefhor, posthum selbst als Verfasser einer Weisheitslehre verehrt, der seinem Vater von den erstaunlichen Zauberkräften eines seiner gegenwärtigen Untertanen berichtet. Cheops horcht sofort auf, insbesondere als er erfährt, daß der Zauberer Djedi Kenntnisse über die geheimen Kammern im Heiligtum des Weisheitsgottes Thot besitzt. Der König selbst hatte vormals vergeblich versucht, etwas über die Kammern in Erfahrung zu bringen, da er beabsichtigt, eine architektonische Replik in einem seiner Tempel bauen zu lassen. Djedefhor schifft sich also südlich von Memphis ein, um nach Djed-Snofru zu segeln, der Stadt, in der Djedi lebt. Djedi erfreut sich bester Gesundheit und eines geradezu enormen Appetits – fünfhundert Laib Brot und ein halber Ochse täglich plus hundert Krüge Bier sind für einen Mann, der das hohe Alter von einhundertundzehn Jahren erreicht hat (das ideale Alter der Ägypter), schließlich eine beachtliche Leistung. Als der Prinz in einer prächtigen Sänfte das Haus Djedis erreicht, sitzt dieser gerade davor und läßt sich eine Massage verabreichen. Nach einem kunstvollen und wortreichen Austausch von Höflichkeiten sucht Djedi seine kostbaren Papyrusrollen zusammen und macht sich gemeinsam mit Djedefhor auf zur königlichen Residenz.
Bei seiner Ankunft in der großen Halle des Palastes wird der Magier freudig von König Cheops empfangen, der schon darauf brennt, Djedi einen Zaubertrick vorführen zu lassen, der in aller Munde ist. Dem König ist zu Ohren gekommen, Djedi könne einen enthaupteten Leib mit dem abgeschlagenen Kopf wieder zusammenfügen. Der Magier erklärt sich zur Vorführung dieses Zauberkunststücks bereit, worauf Cheops ziemlich herzlos befiehlt, zu diesem Zweck einen Gefangenen herbeizuholen. Djedi jedoch erweist sich als der humanere von beiden und weigert sich, seine magischen Kräfte an einem Menschen zu demonstrieren. Denn, so meint er, Menschen seien »das erlauchte Vieh Gottes«, womit er auf die Vorstellung verweist, die menschliche Rasse sei die Herde des Schöpfergottes. Endlich einigt man sich auf eine

Gans; ihr wird der Kopf abgeschlagen, den man an die Ostseite des Hofes legt, ihr Körper dagegen wird auf die Westseite hinüber gebracht. Nun spricht Djedi seine Zauberworte, die uns der Papyrus wiederum nicht verrät, und schon watschelt der Gänsekörper auf den Kopf zu, der sich ebenfalls sogleich in Bewegung gesetzt hat. Die Körperteile treffen zusammen und vereinigen sich, und die heile Gans beginnt zu schnattern. Dieses Kunststück wird ebenso erfolgreich mit einem watenden Wasservogel (vielleicht einem Flamingo) und einem Ochsen wiederholt. Die zu einem früheren Zeitpunkt geäußerte Behauptung, Djedi könne mit seinem Zauber einen wilden Löwen dazu bewegen, daß er ihm fromm wie ein Lamm folge, wird von dem Schreiber dieses Papyrus bedauerlicherweise nicht näher belegt.

Schließlich bringt Cheops das Gespräch auf die Anzahl der geheimen Kammern im Heiligtum des Thot. Djedi streitet ab, Cheops' Fragen selbst beantworten zu können, und verweist ihn auf einen steinernen Schrein, der sich in einem Lagerraum im Tempel des Sonnengottes von Heliopolis befindet. Djedi teilt dem König mit, daß es ihm selbst nicht nur an Wissen mangele, sondern daß er ebensowenig dazu auserwählt sei, den Steinkasten in den Palast zu bringen.

Die nun folgende Wendung arbeitet eine legitimierende Voraussage über einen bevorstehenden dynastischen Wechsel in die Erzählung ein, in dem sich das historische Hervortreten der V. Dynastie um 2465 v. Chr. erkennen läßt. Djedi nämlich erklärt König Cheops, Ruddedet, das Weib eines Priesters des Sonnengottes, werde die Überbringerin des Kastens sein; sie werde drei von Re selbst gezeugte Söhne gebären, die schließlich den ägyptischen Thron besteigen würden. Diese Voraussage bekümmert Cheops tief, doch Djedi gelingt es, ihn mit der Zusicherung zu trösten, daß sowohl sein Sohn als auch sein Enkel noch über Ägypten herrschen würden, bevor die Prophezeiung sich erfüllt. (Historisch vollzog sich die Thronfolge in der IV. Dynastie nicht ganz so glatt, wie Djedis Vorausschau es hier beschreibt; so läßt der Papyrus das Problem mit Djedefre – Radjedef –, dem direkten Nachfolger des Cheops, der seine Pyramide in Abu Roasch nördlich von Gise errichten ließ, völlig außer acht, und Schepseskaf, der letzte Herrscher, gilt hier offenbar als zu unbedeutend, um überhaupt erwähnt zu werden.) Ruddeded werde, so Djedi, im frühen Winter niederkommen, d. h. zu einer Zeit, da die jährliche Überschwemmung sich schon zurückgezogen hat. Cheops beschließt, eine wichtige Kultstätte des Re in Sachbu aufzusuchen, um die vorausgesagte Geburt der Drillinge, mit der er sich offensichtlich abgefunden hat, zu begehen. Doch fürchtet der König, daß der Wassermangel im ›Zwei-Fische-Kanal‹ im Delta, durch den der Weg führt, die Reise behindern werde. Djedi verspricht, für die Durchfahrt des Monarchen in dem vertrockneten Kanal genug Wasser fließen zu lassen, so daß der Besuch des Tempels nicht gefährdet ist. Zum Lohn für seine magischen und prophetischen Fähigkeiten erhält Djedi einen Platz im königlichen Haushalt des Prinzen Djedefhor und eine beachtliche Erhöhung seiner täglichen Ration.

## Der Schiffbrüchige oder Die verwunschene Insel

Unter Ägyptologen ist dieses Märchen als *Der Schiffbrüchige* geläufig, doch der ägyptische Schreiber legt das Hauptgewicht eher auf die Exotik der Örtlichkeiten und den übernatürlichen Bewohner des geheimnisvollen Eilands. Die Quelle dieser Abenteuergeschichte ist ein Papyrus, der sich im Moskauer Museum befindet und aus dem Mittleren Reich stammt, der klassischen Periode ägyptischer Literatur (genauer wahrscheinlich aus dem 19. Jahrhundert v. Chr.). Für unsere Geschichte ist es von Bedeutung, daß sich in dieser Periode der ägyptischen Zivilisation der pharaonische Machtbereich nach Nubien, also bis über die südliche Granitgrenze von Assuan hinaus, ausweitete. Gewaltige Festungen, die man rund um den zweiten Nilkatarakt errichtete, trugen zu einer Intensivierung der Kontrolle über die Goldminen bei. Zudem herrschte der Drang, unbekannte Gebiete zu erschließen, und zur Erkundung neuer Handelsrouten wurden königliche Abgesandte in den Sudan geschickt.

Am Beginn des Märchens *Die verwunschene Insel* sehen wir einen anonymen Gesandten bei der Heimkehr von einer Handelsmission in Nubien. Historische Inschriften, wie etwa die Autobiographie des Gouverneurs Harchuf (um 2240 v. Chr.), die auf der Vorderseite seines in Qubbet el-Hawa situierten Grabes eingeritzt ist, geben uns Auskunft über die Luxusgüter, die der Pharao von einem derartigen Unternehmen erwarten durfte: Weihrauch, Ebenholz, Elefantenstoßzähne und Pantherfelle. Der Gesandte zeigt sich indessen äußerst bedrückt, denn zu seinem Unglück ist die Expedition erfolglos verlaufen; nun treibt ihn die Sorge um, wie er dem Pharao gestehen soll, daß er mit leerem Boot zurückgekehrt ist. Einer seiner Gefolgsmänner, der ›Schiffbrüchige‹ der folgenden Geschichte, ermuntert ihn, die Angelegenheit auch von ihrer guten Seite zu sehen. Schließlich sei auf dieser Reise niemand ums Leben gekommen, alle hätten Nubien unbeschadet verlassen können und seien wohlbehalten auf der ägyptischen Seite, jenseits des ersten Katarakts, angelangt. Der Seemann besteht darauf, den königlichen Abgesandten mit der Erzählung eines angeblich selbst erlebten Abenteuers aufzumuntern:
Einst war der Seemann selbst mit einer Expedition in See gestochen, deren Reiseroute zu den königlichen Goldminen über das Rote Meer führte. Das Boot war von beachtlicher Größe: 60 m lang und 40 m breit. Seine Mannschaft bestand aus 120 Seeleuten, einer unerschrockener als der andere und geübt, aufziehende Unwetter vorherzusehen. Eine allzu plötzliche, vier Meter hohe Welle schlägt jedoch über dem Boot zusammen, so daß – wie der Papyrus es ausdrückt – »das Boot starb«. Die gesamte Mannschaft versinkt in den Fluten, nur unser Seemann wird auf eine Insel an Land geworfen.
Drei Tage lang hält er sich im Schutz der Bäume verborgen, bis ihn Hunger und Durst zu einer Erkundung des Eilands treiben. Dabei stellt er zu seiner Freude fest, daß er in einem regelrechten Garten Eden gestrandet ist, wo ihn reife Feigen, Weintrauben, Gurken und allerlei anderes Gemüse umgeben, Flugwild und Fische sich in Hülle und Fülle tummeln. Nach einem überreichen Mahl entzündet er ein Feuer, um den Göttern mit einem Brand-

opfer für sein Leben zu danken. Der Rauch scheint indessen seinen Aufenthaltsort verraten zu haben, denn plötzlich stürzen Bäume krachend um, und der Boden beginnt zu beben. Zu seinem Entsetzen muß der Seemann sehen, wie sich ihm eine gewaltige Schlange von 16 Meter Länge nähert. Dieses sagenhafte Geschöpf hat Schuppen aus Gold und Augenbrauen aus Lapislazuli und trägt den – Göttern und Königen vorbehaltenen – Kultbart, der bei ihm die stattliche Länge von einem Meter erreicht.
Dieser Schlangengott, der die menschliche Sprache beherrscht, bäumt sich vor dem Seemann auf und verlangt zu wissen, wie dieser auf das Eiland gekommen sei. Feuerspeiend droht er, den Seemann in Asche zu verwandeln, wenn dieser ihm nicht wahrheitsgemäß Rede und Antwort stehe. Starr vor Schrecken verschlägt es dem Seemann die Sprache. Nun zeigt sich der Schlangengott von einer freundlicheren Seite und trägt den Seemann, ohne ihm ein Haar zu krümmen, zu seiner Behausung. Der Seemann gewinnt an Zutrauen, findet seine Sprache wieder und berichtet von seinem Schiffbruch in fast wortgetreuer Wiedergabe des schon einmal Erzählten (wörtliche Wiederholungen sind in der orientalischen Erzähltradition üblich). Die Schlange läßt den Seemann wissen, daß er es einer göttlichen Macht verdanke, hier, auf der ›Insel des ka‹, gelandet zu sein. Für diese Bezeichnung eine adäquate Übersetzung zu finden ist nicht ganz unproblematisch, denn der Begriff ›ka‹ meint im ägyptischen Denken die Lebensenergie, die gleichzeitig mit dem physischen Leib geboren wird, ihn jedoch über dessen Tod hinaus als spirituelle Entität überdauert. Eine mögliche Übersetzung lautet ›Insel der Erscheinungen‹; da ›ka‹ jedoch eine magische Kraft ist, die unbelebte Repräsentationen von Gegenständen wie Brot, Bierkrügen, Weihrauch, Leinengewändern und Tieren Wirklichkeit werden lassen kann, entspricht ›verwunschene Insel‹ wahrscheinlich eher der Bedeutung, auf die der Schlangengott abzielt. Der Seemann erfährt, daß ihm ein viermonatiger Aufenthalt auf dem Eiland bevorsteht; dann werde ein Schiff mit seinen Kameraden vorbeikommen und ihn retten. Immer wieder bekräftigt die Schlange, daß der Seemann nach Hause zurückkehren und dort sein Leben beschließen werde.

Ein Begräbnis am Heimatort war für die Ägypter von existentieller Wichtigkeit, denn nur das garantierte eine korrekte Durchführung der Rituale des Leichenbegängnisses. Zudem, so die Schlange, wögen Freude und Erleichterung über die Rettung aus einer mißlichen Lage die überstandenen bösen Erfahrungen reichlich auf.
Das Märchen fährt nun mit der in die Erzählung des Seemanns eingeschobenen Geschichte des Schlangengottes fort, wobei sich dieser Einschub wiederum auf die Rahmenerzählung bezieht, da auch diese Geschichte zur Aufheiterung des königlichen Abgesandten beitragen soll. Die Kunst der Geschichtenerzähler, ein Flechtwerk aus Rahmenerzählungen und ineinandergeschachtelten Geschichten zu entwerfen, wie wir es beispielsweise aus einem so kunstvoll konstruierten Erzählwerk wie *Tausendundeine Nacht* kennen, zeigt sich in ihren Ansätzen schon hier. Einst habe die Insel, so berichtet der Schlangengott, fünfundsiebzig Schlangen beherbergt. Eines Tages tötete das Feuer eines herabstürzenden Sterns (wahrscheinlich ein Hinweis auf einen Meteoriten) alle Bewohner der Insel außer ihm selbst. Er, der einzige Überlebende der Katastrophe, sei in tiefe Trauer verfallen, die er schließlich doch überwunden habe. Jedoch immer noch von Wehmut erfüllt, preist der Schlangengott die Freuden eines glücklichen Familienlebens. Gerührt von dieser Geschichte, schwört der Seemann, in seiner Heimat von der Großmut des Schlangengottes Fremden wie ihm selbst gegenüber Bericht zu erstatten und ihm zur Freude ein Schiff mit exotischen Luxusgütern wie Myrrhe und verschiedenen Duftölen auf die Insel zu senden. Lachend antwortet der Schlangengott, daß das Eiland bei weitem reicher an Kostbarkeiten sei, als der Seemann sich je träumen lassen könnte. Er nennt sich ›Fürst von Punt‹ und meint damit das in der Region des Flusses Atabra gelegene Land, aus dem Ägypten seinen Weihrauch und andere aus Äquatorialafrika kommende Güter bezog. Außerdem werde die Insel sogleich nach der Abfahrt des Seemanns in den Wellen des Roten Meeres versinken. (Hier begegnet uns ein beliebter Kniff der Geschichtenerzähler, denn mit dem Verschwinden eines solchen geheimnisumwitterten Ortes konnte niemand

mehr darauf verfallen, den Wahrheitsgehalt derartiger, angeblich authentischer Geschichten nachzuprüfen.)
Vier Monate später zeigt sich auch wirklich das mit Freunden des Seemanns bemannte Boot am Horizont. Der Seemann erklettert einen hohen Baum, um durch Signale auf sich aufmerksam zu machen, und winkt das Boot heran. Sein Wohltäter, der Schlangengott, stattet ihn für die Heimreise mit einer reichen Schiffsladung von Myrrhe, Ölen, parfümierten Salben und Augenschminke, Giraffenschwänzen, Elefantenstoßzähnen, Jagdhunden, Pavianen und anderen Affen aus. Abbildungen genau dieser Produkte und Tiere, die aus den südlichen Ländern nach Ägypten eingeführt wurden, kann man bei einem Besuch in West-Theben im Tempel der Königin Hatschepsut zu Deir-el-Bahari und im Felsengrab des

*Tributabgaben aus Nubien, wie sie in den Erzählungen des Schiffbrüchigen und des Schlangengottes vorkommen; besonders bemerkenswert die Giraffe, an deren Hals ein Äffchen emporklettert. Felsengrab des Wesirs Rechmire. Um 1450 v. Chr.*

Wesirs Rechmir entdecken. Zwei Monate später – der Wechsel vom Roten Meer zum Nil wird geschickt übersprungen – erreicht der Seemann die königliche Residenz und übergibt dem Pharao die mitgebrachten Gaben. Dieser belohnt den Seemann mit Leibeigenen und macht ihn zum Palastbeamten. Der Kontrast zwischen dem glücklichen Ausgang dieses Abenteuers und dem kläglichen Scheitern der Mission des Abgesandten, dem die Erzählung vorgetragen wird, verleiht dem Ende jedoch eine bitter-ironische Note. Der niedergeschlagene Gesandte antwortet auf die erzählerischen Bemühungen des Seemanns, daß es ebenso müßig sei, einer Gans, die man am Vormittag zu schlachten gedenke, am Morgen noch Wasser zu geben, wie ihn selbst in seiner hoffnungslosen Situation noch kurz vor seinem Erscheinen vor dem Pharao aufheitern zu wollen.

Hiermit schließt das Märchen, und um Vollständigkeit und Ende anzuzeigen, sind auf dem Papyrus noch folgende Worte hinzugefügt: »Vom Anfang bis zum Ende ist es gerade so, wie wir es in der Schrift vorgefunden haben – dies das Werk des Schreibers von vortrefflichem Finger Imen-aa Sohn Imenis; mögen ihm Gesundheit, Wohlstand und ein langes Leben beschieden sein.«

## Das Brüdermärchen oder Die Verwandlungen des Bata

Im Besitz des Britischen Museums befindet sich der *Papyrus d'Orbiney* (Nr. 10180), der üblicherweise als *Das Brüdermärchen* bezeichnet wird. Er ist in makellosem Hieratisch abgefaßt und entstammt der Hand des in Ägypten wohlbekannten Schreibers Enene, der etwa im letzten Viertel des 13. Jahrhunderts v. Chr. lebte. Der Text setzt sich aus einer bunten Mischung von mythologischen, folkloristischen und humoristischen Elementen zusammen. Obgleich Teile des Handlungsverlaufs überaus phantastisch erscheinen, entfernen wir uns doch nie wirklich aus der Sphäre menschlicher Emotionen und Schwächen.

Zwei Brüder, Anubis der ältere und Bata der jüngere, leben gemeinsam in einem Haushalt. (Durch ihre Namen, die sie mit zwei

oberägyptischen Gottheiten gemein haben und die an die oberägyptische Legende von dem Schakal Nome erinnern, sind sie vage mit der Welt der Mythen verbunden; jene Legende ist uns in dem späteren, komplexen *Papyrus Jumilhac* erhalten.) Anubis hat eine Frau, deren Name bedauerlicherweise nicht erwähnt wird. Bata lebt im Haus des Paares, seinen Schlafplatz hat er indessen bei dem Vieh im Stall. Er erledigt alle anfallenden Arbeiten, fertigt Leinengewänder für Anubis an, arbeitet auf dem Feld und hütet das Vieh; er ist wohlgelitten und verdankt seinen guten Ruf seinen nie erlahmenden Kräften. Zudem besitzt er die Gabe, die Sprache des Viehs, das er hütet, zu verstehen. Wenn ihm die Rinder also mitteilen: »Das Gras an dem und dem Ort ist köstlich«, so führt er sie auf die erwünschte Weide; das Vieh lohnt ihm seine Verständigkeit mit gutem Gedeihen und reichem Nachwuchs.
Als die Brüder eines Tages zur Zeit der Aussaat Emmer und Gerste in den Feldern ausbringen, geht ihnen das Saatgut aus. Bata wird nach Hause geschickt, um Nachschub zu besorgen. Dort trifft er die Frau seines Bruders an, die gerade dabei ist, sich zu frisieren. Bata gebietet ihr, aufzustehen und ihm so schnell wie möglich mehr Saatgut herbeizuschaffen. Erwartungsgemäß erwidert ihm die Frau, er möge sie beim Frisieren nicht unterbrechen und selbst in das Vorratslager gehen. Bata ergreift darauf einen großen Krug und füllt soviel Saatgut hinein wie möglich. Als die Frau die Größe des Krugs sieht, will sie wissen, wieviel er sich auf die Schultern geladen habe. Batas Antwort lautet: »Drei Sack Gerste und zwei Emmer« – zusammengenommen also in etwa beeindruckende fünf Zentner. Dieser Beweis männlicher Kraft erregt die Sinne der Frau; sie greift nach Bata und gibt ihm zu verstehen, daß sie mit ihm schlafen möchte und jetzt die rechte Gelegenheit für ein gemeinsames Schäferstündchen gekommen sei. Sie verspricht ihm, er werde es nicht bereuen, und sie wolle ihm schöne Leinengewänder machen. Bata entsetzt sich über diesen eindeutigen Antrag und reagiert mit der Wut eines Panthers darauf. Zornentbrannt schleudert er der Frau entgegen, ein solches Ansinnen sei ganz und gar frevelhaft, da er schließlich bei seinem älteren Bruder und ihr wie ein Sohn lebe. Immerhin verspricht Bata der

Frau, niemandem ein Sterbenswörtchen von dem Vorfall zu erzählen, und begibt sich zurück aufs Feld zu Anubis. Am Abend geht er wie gewöhnlich zum Stall, um dort zu schlafen.

In der nun folgenden Episode, die die ganze Heimtücke von Anubis' Weib offenbart, muß Bata einen schrecklichen Preis dafür zahlen, sie verschmäht zu haben. Bei der Heimkehr ihres Gemahls täuscht die Frau vor, sie sei das Opfer eines brutalen Übergriffs geworden. Sie unterläßt es, wie sonst üblich abends ein Feuer anzuzünden, so daß der verblüffte Anubis sein Haus im Dunkeln vorfindet. Sie ist auch nicht zugegen, um ihrem Mann wie sonst am Ende des Tages Wasser über die Hände zu gießen. Anubis sucht seine Frau und entdeckt sie schließlich in bejammernswertem Zustand: ganz elend liegt sie auf ihrem Bett und muß sich immer wieder übergeben – denn listig wie sie ist, hat sie vorher Fett zu sich genommen, das als Brechmittel wirkt. Es ist wohl der erste Schreck, seine Frau in diesem Zustand vorzufinden, der Anubis' die alberne Frage eingibt: »Wer hat mit dir gesprochen?« Auf der Stelle beginnt seine Frau, ihren Schwager auf das übelste zu verleumden, indem sie den tatsächlichen Hergang des Geschehens umdreht und behauptet, Bata habe ihr angetragen, ihr geflochtenes Haar zu lösen und mit ihm ein Schäferstündchen zu verbringen. In ihrer Version ist natürlich sie es, die bei ihrer Weigerung vorgebracht haben will, sie und ihr Gemahl seien wie Vater und Mutter zu Bata; worauf dieser, da er nun die Folgen seines verwerflichen Antrags fürchtete, sie zu schlagen und zu bedrohen begonnen habe, damit sie Anubis gegenüber Schweigen bewahre. Sie fordert ihren Gemahl auf, Bata zu töten, denn andernfalls, so droht sie, werde sie sterben.

Anubis gerät in Zorn; da Bata jedoch noch nicht mit dem Vieh von der Weide zurück ist, verbirgt er sich mit einem scharfen Speer hinter der Stalltür, bereit, Bata zu töten. Die Leitkuh jedoch rettet Batas Leben, indem sie ihn auf dem Weg zum Stall vor dem bewaffneten Anubis in seinem Versteck warnt. Bata entdeckt die Füße seines Bruders, die unter der Stalltür hervorschauen, und macht sich in wilder Flucht davon, dicht gefolgt von Anubis. Der verfolgte Bata ruft den Sonnengott Re-Harachte um Gerechtigkeit an, und dieser läßt zwischen den beiden Brüdern sogleich ein tiefes Wasser voller Krokodile entstehen, um Bata bis zum folgenden Sonnenaufgang Schutz zu gewähren. Aus sicherer Entfernung beteuert Bata nun dem Bruder lauthals seine Unschuld und beschreibt Anubis den wirklichen Hergang der Ereignisse. Er wirft Anubis vor, ihn, seinen Bruder, auf die bloßen Worte einer schändlichen Hure hin töten zu wollen, ohne ihn selbst angehört zu haben. Dann beschwört er die Wahrheit seiner Aussage bei Re-Harachte und schneidet sich zur Bekräftigung dieses Schwurs mit seinem Schilfmesser das Glied ab. Er wirft den Phallus ins Wasser, und ein vorbeischwimmender Katzenwels verschluckt ihn. Durch den Blutverlust wird Bata zusehends schwächer, und Anubis, von diesem Bild des Jammers gerührt, muß tatenlos und weinend vom anderen Ufer aus zusehen, denn die Krokodile versperren ihm den Weg zu seinem jüngeren Bruder.

Noch einmal richtet Bata sein Wort an Anubis und teilt ihm mit, daß er niemals mehr in dessen Hause leben, sondern allein in das Tal der Schirmpinien ziehen werde. Wenn diese Ortsbezeichnung eine existierende Gegend meint, wird man an eine Gegend im Libanon gedacht haben. Bata erklärt, daß er sich sein Herz herausnehmen und auf die Blüte einer Schirmpinie legen werde. (Warum er dies tun will und wie er ohne Herz weiterleben kann, bleibt im dunkeln.) Wird die Pinie gefällt, bedeutet das seinen Tod. Dann, so bittet Bata den Bruder, solle er nach ihm suchen und das Herz retten. Das wiedergefundene Herz soll Anubis in eine Schüssel mit Wasser geben, damit der dadurch wiederbelebte Bata sich an seinem Mörder rächen könne. Das Zeichen für Anubis, daß Bata ein Unglück geschehen sei, werde ein Krug Bier sein, der plötzlich und grundlos in Anubis' Händen überschäume. Bata entfernt sich, und zum Zeichen seiner Trauer mit Lehm beschmiert, macht Anubis sich auf den Weg nach Hause. Kaum dort angekommen, tötet er sein Weib und wirft ihren Leichnam streunenden Hunden vor.

Unterdessen baut sich Bata, der sein Herz tatsächlich auf die Blüte einer Pinie gelegt hat, im Tal der Schirmpinien eigenhändig einen Palast, den er ganz allein bewohnt. Diese Geschichte, die bis hierher durchaus schon recht bizarre Züge trägt, fungiert jedoch eigentlich nur als Ausgangspunkt der folgenden, noch weit phantastischeren Episoden. Bata trifft auf die Götterneunheit des Sonnengottes, die sowohl über diese Region als auch über Ägypten herrscht. Die Neunheit teilt Bata mit, daß sein Ruf gerettet und er von jeder Schande gereinigt sei; überdies habe Anubis das böse Weib getötet. Um Bata von seiner Einsamkeit zu erlösen, instruiert Re-Harachte nun den Gott Chnum, ein Weib für Bata zu machen. Chnum formt eine hinreißend schöne Frau, in deren Körper etwas von der Essenz eines jeden Gottes eingeht. Angesichts des mannigfaltigen Unglücks, das sie im weiteren Verlauf über Bata bringt, erscheint die Ähnlichkeit mit der griechischen Legende von Pandora mehr als nur flüchtig: Auf Zeus' Geheiß formt Hephaistos die wunderschöne Pandora, die dann alle erdenklichen Übel über die Menschheit bringt. Als Chnum Batas Weib (wiederum eine Namenlose) vollendet hat, erscheinen die sieben Hathoren oder Schicksalsgöttinnen, um sie zu begutachten; einstimmig prophezeien sie der Schönen einen gewaltsamen Tod. Die Seltsamkeit der ehelichen Verbindung zwischen dem durch eigene Hand entmannten Bata und der höchst attraktiven Frau läßt sich allerdings kaum übersehen.

Eines Tages eröffnet Bata seiner Frau, daß sein Herz sich auf einer Blüte im Wipfel einer der Pinien befindet. Er gibt sein Geheimnis preis, weil er befürchten muß, daß das gierige Meer sich seiner Frau bei einem ihrer Strandspaziergänge bemächtigen könnte. Er muß ihr gestehen, daß er ihr seiner Verwundbarkeit wegen dann nicht zu Hilfe eilen könnte. Kurz darauf – Bata ist auf Jagd in der Wüste – sieht die Frau bei einem Spaziergang tatsächlich das Meer auf sich zurollen, sie kann sich indessen gerade noch in den Palast retten. Eine Pinie neben dem Palast raubt ihr im Auftrag des Meeres jedoch eine parfümierte Locke, die von den Wellen zum Wäscheplatz des Pharao getragen wird. Der Duft der Locke durchdringt alle Leinengewänder, die dort gewaschen werden, und der Pharao beklagt sich bei den Wäschern über ihre unzureichende Arbeit. Endlich entdeckt der Oberwäscher des Pharao die Haarlocke, und der Vorfall wird von den königlichen Schreibern folgendermaßen gedeutet: Die mit göttlichen Essenzen getränkte Locke gehört der Tochter Re-Harachtes und ist als Aufforderung an den Pharao zu verstehen, die Besitzerin suchen und aus dem Tal der Schirmpinien an den ägyptischen Hof bringen zu lassen. Sogleich sendet der Pharao Soldaten aus, die jedoch alle von Bata in seinem Tal getötet werden. Der nächste, mit Kampfwagen ausgerüstete Trupp wird von einem Weib begleitet, das erlesenen Schmuck mit sich führt. Ihr Auftrag ist es, Batas Frau damit zu verlocken, ihr eingeschränktes Leben im Libanon mit dem kultivierteren am königlichen Hofe zu vertauschen. Der Plan gelingt, und Batas Frau begibt sich nach Ägypten, wo sie die Geliebte des Pharaos wird und am Hof hohes Ansehen genießt. Als der König das Geheimnis von Batas Herzen erfährt, befiehlt er, die entsprechende Pinie fällen zu lassen. Im selben Augenblick, da der Baum umstürzt, fällt Bata tot zu Boden.

Am folgenden Tag schäumt das Bier in Anubis' Krug plötzlich über, und er erkennt darin das angekündigte Zeichen. Anubis macht sich auf in das Tal der Schirmpinien und findet den Bruder tot in seinem Palast. Es vergehen über drei Jahre, bis Anubis das als Frucht getarnte Herz Batas entdeckt. Wie geheißen, legt er es in eine Schüssel mit Wasser, und Batas Leib beginnt sogleich zu zucken. Nachdem Anubis die Lippen seines Bruders mit etwas Wasser benetzt hat, trinkt dieser selbst und erhält sein Herz schließlich zurück.

Die bisherigen Metamorphosen Batas reichen von einem kraftvollen jungen Mann über einen Eunuchen bis zu einem Leichnam, doch damit haben die Verwandlungen bei weitem noch kein Ende. Bata nämlich hat seinem Weib Rache geschworen und beschließt, in Gestalt eines herrlichen Stiers mit auffälliger Färbung und Zeichnung nach Ägypten zu ziehen. Anubis reitet auf seinem Rücken, und die Brüder erreichen am Morgen die königliche Residenz. Der Pharao ist sogleich von der Schönheit des Tieres eingenommen und läßt Anubis als dessen Überbringer zum Lohn mit Silber und Gold aufwiegen. Dem Stier zu Ehren werden Feste gefeiert, und der König liebt ihn über alle Maßen. Doch eines Tages enthüllt der Stier der Ehefrau seines früheren, menschlichen Selbst

seine wahre Identität. Sie erschrickt zutiefst, als Bata sich ihr zu erkennen gibt und mitteilt, er sei nach Ägypten gekommen, um Rache an ihr zu nehmen. Vorerst verläßt der Bata-Stier seine ehemalige Ehefrau jedoch wieder, und diese sinnt fieberhaft auf einen Weg, der Drohung des verwandelten Bata zu entrinnen. Als der König nach einem ausschweifenden Fest nicht mehr ganz nüchtern ist, ringt sie ihm das Versprechen ab, ihr von der Leber des Stieres zu essen zu geben. Später bereut der Pharao es zwar, doch kann er dieses Versprechen genausowenig zurücknehmen wie der von Salome bezauberte Herodes den Hinrichtungsbefehl für Johannes den Täufer. Am folgenden Tag wird der Bata-Stier als Kultopfer geschlachtet; doch als die Männer den Stierkörper durch das Große Tor tragen, läßt er aus seinem durchschnittenen Hals je einen Tropfen Blut auf die Erde neben den beiden Torpfosten fallen. Genau dort wachsen über Nacht zwei riesige Perseabäume empor. Der König hält dies für ein gutes Omen, und man feiert ein großes Fest.
Einige Zeit später zeigt sich der Pharao bei einem offiziellen Anlaß an seinem ›Erscheinungsfenster‹ – einer Art zeremonieller Loggia oder Empore, wie wir sie gut erhalten als Verbindung zwischen Palast und Totentempel Ramses' III. aus Medinet Habu in West-Theben kennen. Hierauf fährt der Pharao, mit Batas Weib an seiner Seite, die inzwischen zu seiner Hauptgemahlin aufgerückt ist, in seinem goldenen Streitwagen hinaus, um die Perseabäume in Augenschein zu nehmen. Als das königliche Paar im Schatten der Bäume ruht, gibt sich Bata seiner Frau neuerlich zu erkennen und läßt sie wissen, daß er immer noch sehr lebendig sei und auf Rache sinne. Wieder becirct die Schöne den Pharao, so daß dieser sich bereiterklärt, die Bäume unverzüglich fällen und aus ihrem Holz Möbel fertigen zu lassen. Während die Frau beobachtet, wie die Handwerker des Königs dessen Befehle ausführen, springt ihr plötzlich ein Holzsplitter in den Mund. Im selben Augenblick ist sie schwanger; nach Ablauf der entsprechenden Frist bringt sie einen Sohn zur Welt, der jedoch, ohne daß jemand es ahnt, niemand anderer ist als ihr vormaliger Gemahl Bata. Die Freude des Pharao über diesen angeblichen Sohn ist groß, und der wiedergeborene

Bata wird allseits verehrt und zum Kronprinzen erklärt. Zudem wird ihm der Titel ›Prinz von Kusch‹ verliehen, womit die Zuständigkeit für die enormen Goldreserven Nubiens auf ihn übergeht. Nach dem Tod des Pharao besteigt Bata schließlich als neuer Herrscher den Thron. Er läßt die hohen Beamten seines Landes zu sich kommen und berichtet ihnen von seinen Abenteuern und Verwandlungen. Endlich führt man auch seine Mutter-Gattin vor den Thron, und die versammelten Beamten halten Gericht über sie. Die Beschreibung von Urteil und Strafe bleibt in diesem Papyrus jedoch ebenso vage wie das Schicksal der Frau Ramses' III. in dem ›Verschwörungspapyrus‹ des Turiner Museums, der man vorwarf, zugunsten ihres Sohnes einen Anschlag auf das Leben des Pharao angezettelt zu haben. In beiden Fällen ist allerdings die Todesstrafe mit darauffolgender Hinrichtung bzw. eine Aufforderung zum Selbstmord wahrscheinlich. Nun wird Anubis zum Kronprinzen gemacht, und als Bata nach dreißigjähriger Regierungszeit stirbt, ohne dann in einer anderen Gestalt wiederzukehren, besteigt der ältere Bruder den ägyptischen Thron.

# Literaturhinweise

(Von Erik Hornung und Hans-W. Fischer-Elfert)

Von den großen Sammlungen religiöser Sprüche liegt nur das Totenbuch in deutscher Übersetzung vor: E. Hornung, *Das Totenbuch der Ägypter* (Zürich/München [3]1990); für vollständige Wiedergaben der Pyramiden- und der Sargtexte ist hinzuweisen auf J. P. Allen, *The Ancient Egyptian Pyramid Texts* (Society of Biblical Literature – Writings from the Ancient World no. 23, Atlanta 2005), R. O. Faulkner, *The Ancient Egyptian Coffin Texts*, 3 Bde. (Warminster 1973–78), sowie P. Barguet, *Textes des sarcophages égyptiens du Moyen Empire* (Paris 1986).
In die Grundlagen der religiösen Welt der Ägypter führen ein: S. Morenz, *Ägyptische Religion* (Stuttgart 1960); H. Brunner, *Grundzüge der altägyptischen Religion* (Darmstadt 1983); E. Hornung, *Der Eine und die Vielen. Ägyptische Gottesvorstellungen* (6., vollständig überarbeitete und erweiterte Aufl., Darmstadt 2005); J. Assmann, *Ägypten. Theologie und Frömmigkeit einer frühen Hochkultur* (2. Aufl. Stuttgart 1991).
Einen Einstieg in die altägyptische Geisteswelt gibt E. Hornung, *Geist der Pharaonenzeit* (München 1992), dort u. a. Kapitel über Schöpfung und über Magie. Magische Sprüche in Übersetzung und Kommentar bei H.-W. Fischer-Elfert, *Altägyptische Zaubersprüche. Mit Beiträgen von Tonio Sebastian Richter* (Stuttgart 2005).
Der Sammelband *Die Schöpfungsmythen* (Einsiedeln/Zürich 1964) bietet einen allgemeinen Überblick über ägyptische Schöpfungsmythen, dazu spezieller J. P. Allen, *Genesis in Egypt. The Philosophy of Ancient Egyptian Creation Accounts* (Yale Egyptological Studies 2, New Haven 1988); allgemein verständliche und recht aktuelle Diskussion bei G. Pinch, *Egyptian Myth. A very short introduction* (Oxford 2004); knappe Darstellung auch bei H.-W. Fischer-Elfert, *Altägyptische Mythologie*, in: Chr. Jamme / St. Matuschek (Hrsg.), *Handbuch der Mythologie* (Darmstadt 2014), S. 236–249; aus struktureller und kulturübergreifender Perspektive in der gleichen Reihe der Band von R. A. Segal, *Myth. A very short introduction* (Oxford 2004); für die Aussagen der Hymnen J. Assmann, *Ägyptische Hymnen und Gebete* (2. verb. und erweiter-

te Aufl., Zürich/München 1999), und zur Rolle des Amun als Schöpfer J. Assmann, *Re und Amun. Die Krise des polytheistischen Weltbilds im Ägypten der 18.–20. Dynastie* (Orbis Biblicus et Orientalis 51, Freiburg (Schweiz) / Göttingen 1983), sowie E. Otto und M. Hirmer, *Osiris und Amun. Kult und heilige Stätten* (München 1966).

Das ägyptische Königtum behandeln M.-A. Bonhême und A. Forgeau, *Pharao, Sohn der Sonne*, übers. von S. Ris-Eberle (Zürich/München 1989), den Mythos der göttlichen Geburt Pharaos H. Brunner, *Die Geburt des Gottkönigs* (Ägyptologische Abhandlungen 10, 2., erg. Aufl., Wiesbaden 1986), den dramatischen Triumph des Horus von Edfu H. W. Fairman, *The Triumph of Horus* (Batsford 1974). Das Buch von der Himmelskuh mit seinem Mythos von der Vernichtung des Menschengeschlechts übersetzt und bespricht E. Hornung, *Der ägyptische Mythos von der Himmelskuh. Eine Ätiologie des Unvollkommenen* (Orbis Biblicus et Orientalis 46, 3. Aufl., Freiburg (Schweiz) / Göttingen 1991).

Die Unterweltsfahrt des Sonnengottes beschreibt E. Hornung, *Die Nachtfahrt der Sonne. Eine altägyptische Beschreibung des Jenseits* (Zürich/München 1991), dazu die einschlägigen Texte in Übersetzung bei E. Hornung, *Die Unterweltsbücher der Ägypter* (Zürich/München [3]1989), und das Bildmaterial zum großen Teil in E. Hornung, *Tal der Könige. Die Ruhestätte der Pharaonen* (5. Aufl., Zürich/München 1990).

Zum weisen Imhotep und seiner Verehrung D. Wildung, *Imhotep und Amenhotep* (Münchener Ägyptologische Studien 36, München 1977); K. Ryholt, *The Life of Imhotep*, in: Gh. Widmer / D. Devauchelle (Hrsg.), *Actes du IX^e^ congrès international des études démotiques* (Bibliothèque d'études 147, Le Caire 2009), S. 305–315.

Von den vielen Bildbänden zur altägyptischen Kunst und Kultur bieten K. Lange und M. Hirmer, *Ägypten. Architektur, Plastik, Malerei in drei Jahrtausenden* (München 1980), immer noch am meisten. Dazu kommen die z. T. hervorragend gestalteten Kataloge der vielen Ägypten-Ausstellungen.

Die Abbildungen und die Karte sind, mit Ausnahme der Abbildungen S. 37, 45, 61, 72 und 88 (Brusttafel des Königs Tutanchamun: heiliges Auge; Foto Hirmer), der englischen Originalausgabe entnommen, in der sich auch die entsprechenden Nachweise finden.

# Register